ちくま文庫

世間のドクダミ

群ようこ

筑摩書房

目次

世間のドクダミ

どくだみ【蕺草】《しゅうさい》
（毒を矯める・止める、の意。
ドクダミ科の多年草。十薬
ドクダメ。古名。しブキ。羊麻草

本文カット　南伸坊

K点を越えた

私のこれまでの五十年近い人生で、肥満は重要な問題であった。高校生のときに大デブになり、受験などのストレスで拒食症の一歩手前までいきそうになったのを、何とか持ち直して三十代までは過ごしてきた。体重が頭から離れない数字だったのが、のちに世の中に「体脂肪率」というものが登場した。体重があっても体脂肪率が普通の範囲内だったら、デブではないという。体重が気になる私には、明るい光が見えた情報だった。

あるとき友だちが体脂肪率が測定できる体重計を買ったので、ちょっとどきどきしながら、早速、測りにいった。私の目に飛び込んできたのは、30という数字だった。

「へ？」

まさか体重ではあるまいと、目をこらしてよーくみたら、何と、体脂肪率30パーセントという数値が出たのである。

「どひゃー」

頭がくらくらした。

「一日、一万歩歩いていたのになぜ」

という文字が、頭のなかをぐるぐるとかけめぐった。女性は体脂肪の普通ゾーンの上限は27パーセントである。30パーセントからは肥満になる。知らないうちに崖っぷちに立っていたのである。

「どうだった？」

友だちの問いかけに返事をせず、私はぶるぶると腹をゆすった。少しでも脂肪を振り落とそうとする魂胆である。その姿を見た友だちは、それ以上、何もいわずにテレビを見ながらせんべいを食べていた。長いつきあいなので、すべてを察知したのであろう。

それから私も体脂肪計を購入し、脂肪落としがはじまった。一日一万歩の習慣は続けて、それと並行してダンベル体操をはじめた。これは抜群に効果があり、最初は低迷していたが、二カ月、三カ月と経つうちに、あれよあれよと体脂肪が21パーセントまで落ちていき、明らかに体型も変わってきた。そのうちに体脂肪が減って、体重が増える筋肉系になってきそうだったので、それでやめてしまった。体重はともかく、体脂肪が普通ゾーンに入っていれば、それでよしとしようと考えたのである。それから何年かは一キロ前後の体重の変化はあったが、別に問題はなかった。ところが最近、意味もなく体重が増えはじめた。たしかに年々、代謝が落ちるのはわかっているけれども、

「こんなに太ることたあないでしょう」

といいたくなるくらい、増える。一日に一キロなんて当たり前のように増える。これならば太ってもしょうがないと、自覚できるのならしょうがない。思いつくのはまんじゅうなどを食べたくらいである。それだって毎日、腹がはちきれるほど食べたわけではないのだ。代謝が落ちたっていっても、こんなにずんずん太っていいんだろうか。

「ちょっと、ひどくないですか」

と文句のひとつもいいたくなる。三十歳で会社をやめて物書きになり、しこしこと原稿用紙の升目を埋め、キーボードを叩き、母親や弟に欲しいものを買ってやり、実家を建て、法律に触れることなど何ひとつしていない私が、どうしてこういう仕打ちに遭わなくてはならないのかと、自分の不幸な人生を呪ったりする。

「この歳になってまで、いじめなくたっていいじゃないか」

といいたくなるのである。

若いうちは太っても、運動すればすぐ減った。ところが今は動こうが何をしようが、簡単にはいかない。それどころか本人は減らす気まんまんなのに、それをあざ笑うかのように逆に増えたりする。若い子のようなスタイルに憧れているわけではない。中高年になったら、特に女の人はやせている人よりも、肉がついているほうが見た感じがいいと思っている。必要以上にやせたくはない。でももうちょっとだけ、何とかならないかというのが、悲しい女心なのである。

何とかしなくてはと思いつつ、ラジオ体操をするくらいで、何もしないで日々を過ごしていた。体脂肪計を買った友だちも太りはじめ、ダンベル体操で体重を減らした。そしてまた最近、太ってきたのでダンベル体操を再開したら、体が慣れてしまったのか、全然、減らない。おまけにやりすぎてテニス肘になってしまい、踏んだり蹴ったりだと嘆いていた。

「うーむ、ダンベル体操もだめか……」

ダンベルはあるけれども、じっと横目で見ているだけで手にする気はない。若い頃は意欲的だから、いろいろな方法を試してみるけれども、この歳になるとやっても無駄といわれるものは、なるべくやろうと思わなくなる。なるたけ楽をして痩せようとする気持ちも、強くなってきた。困った、困ったといいながらも、行動を起こさなかったのは、正直いってまだ余裕があったからだ。私には自分のなかで決めている「K点」があって、そこを越えたらもう何が何でもだめ。そしてまだそこまでいってなかった。

が、つい最近、風呂上がりに体脂肪計に乗って、

「ぎゃっ」

と大声を上げてしまった。見事、K点越えをしてしまったのである。このK点は私にとっては相当甘い数値で、肥満領域にあと一キロで入らんとする数値である。

つまり本当のぎりぎりなのである。思えば今までの人生で華々しくジャンプしたことなんぞなかった。結婚もせず子も産まず、華やかな男性遍歴もなく貯金もない。それなのに体重や体脂肪率が見事にK点越えとは……。

「お、おわあああわおお……」

私は素っ裸のまま、わけのわからない言葉を発しながら、ぶるぶると体を震わせた。衝撃の数値を見るとショックを受けて、ぶるぶるしてしまうのは、体の中でシステム化されているのである。しかし揺れるのは下腹や太股の贅肉ばかりで、脂肪がすっとんでいく気配はない。

「えらいこっちゃ、えらいこっちゃ」

パジャマを着て、部屋中をうろうろ歩き、あらためて鏡に自分の姿を映してみた。

「うーむ」

何度見ても見事な体型崩壊をみせている。プレーリー・ドッグと血縁関係ではないかと疑いたくなるくらいである。若い頃、

「おばさんたちって、どうしてみな、下腹がぽこっと出た体型になるんだろう」

と不思議に思っていたが、間違いなく、今、自分がそうなっている。天罰やお仕

置きで体型が崩れたわけでもなく、まじめに地道に過ごしていてこういうふうになってしまうのは、理不尽ではないかと怒りがこみ上げてくるのだ。

K点を越えたのは事実だから仕方がない。ジャンプの選手を見てもK点を越えたら、体勢を立て直してふんばるか、こけて雪まみれになってしまうかのどちらかだ。私は絶対にこけてはならなかった。私のひとまわり年下の知り合いで、短期間に十四キロも太ってしまった女性がいる。一週間に四日も焼肉店に通っているのが原因なのだが、彼女は特別、気にするふうでもない。夫婦で豪勢な外食をするので、食費だけで年間一千万円にもなる。

「だから私の体は一千万円の価値があるんです」

体重がそれだけ増加しても誇れる精神が実にうらやましい。原因がわかっているのにやめようともしないのも潔い。私はとてもじゃないけどそこまで達観できない。私は若い頃に、食べたい物を我慢して瘦せるのはいやだ、太ったって、中身がちゃんとしていればいいといったこともある。しかし若い頃の太り方はたかが知れていた。当時は中高年になったときの体型崩壊など想像もできず、自分の姿がイメージできなかった。こんなことになるとは思ってもみなかったのである。毛が薄くなっ

たおじさんが、

「おれにはヘアスタイルなどというものはない」

といっていたが、それと同じように、今の私には、

「スタイルやプロポーションなどというものはない」

といった心境なのである。

私は冷静に自分を見直すことにした。自覚はないけれども、結果には必ず原因がある。確かにとりたてて運動はしていないが、食べているものはほとんど和食である。朝は具だくさんの味噌汁一杯。昼は雑穀御飯に魚か肉のおかずと、小松菜のごまよごし。夜はだいたい麺類であるが必ず野菜をつける。どうしてこれで太るのか。たしかに仕事が詰まっているときには、甘いものが食べたくなるので、まんじゅうなどを食べることもある。たった一度、締め切り間際でフル稼働しなくてはならず、アイスクリームのミニカップを、四日間で十六個食べたことはあった。これだけで体重が二キロも三キロも増えてしまうのだろうか。怒りで鼻息は荒くなるばかりなのだ。

しかし冷静に原因を見極めなくてはいけない。いろいろと調べてみたら、私の年

齢と座業という仕事を考えると、必要なカロリーは一日、一二五〇キロカロリーらしい。その食事モデルの内容を調べてみたら、ふだん食べているものと変わりはない。肉や卵など少ないくらいだ。次に自分がいったいどれくらいの量を食べているのか量ってみた。料理を作るときに、いちいち食材の分量など量っていないから、詳しいグラム数などはわからない。いつも、

「こんなもんか」

ですませている。試しに量ってみたところ、日々食べていた量は一六〇〇キロカロリーの食事モデルの量と同じだった。私にふさわしいのはその四分の三だ。

「たった、これだけ？」

自分にとっては明らかに少ないと思われる、適正量の御飯を見つめた。自炊をしても油をほとんど使わない料理ばかりだし、肉も二週間に一度くらいしか食べてないのでたかをくっていたが、私は年齢やちっこい体に比して大食らいだったことが判明した。もともと腹いっぱい食べたいタイプなので、それならば野菜中心にと考えていたのに、それでも量が多かった。これで油っこい食事が好きだったらと思うとぞっとする。ということは運動をするか全体量を減らさないとだめだ。そうし

ないと私のK点越えは避けられない。このままにしておくと、K点越えどころか空の彼方にふっとんでいってしまい、戻ってこられなくなる。せめて地べたに足がついているうちに、何とかしたい。とにかく今までの量を、それは違うんだと脳と内臓に徹底的に覚え込まさなくてはならないのだ。

その日からずっと、適正量の食事は続いている。私の感覚としては、これ以下だと断食したほうがましという量である。たしかに体が軽く、重かった腰もひょいひょいと動き、面倒だった室内の片づけも苦にならなくなった。でもちょっと虚しいのも事実だ。

「これで部屋の中の無駄な物も、体の贅肉も落とすのよーっ」

いちおう目標はある。体重はあと二キロ、体脂肪が4パーセント減ればそれでいい。が、それは叶うのだろうか。

中高年になればスタイルとか体型といった問題からは、解放されると思っていた。しかし当時以上に、問題は山積している。昔は耳にしなかった、生活習慣病というものまで関わってくる。

「いつになっても、平穏な日々は訪れないのう」

私はまるで別注で取り付けてあるような下腹を見ながら、小声でつぶやくのである。

チンして下さい

ほぼ毎日、自炊をしていると、いい加減うんざりしてくる。私はせっかちなので、なるべく早くできておいしいものをと思うのであるが、うまくいかない。もともと料理下手で、一人暮らしをはじめた直後は、段取りも手際も悪いので時間がかかり、おまけにまずいという結果に陥ったことも、一度や二度ではなかった。今ではある意味で慣れてしまい、失敗しそうなものは作らない方式になったので、作り疲れてぐったり、たべてがっくりということはなくなったけれども、やっぱりてきぱきと作りたい。そこで手早く作れるという料理の本を見ると、必ず登場するのが電子レンジである。かぼちゃの下ごしらえも何分かでできるらしい。そのほか便利な使い

方がいろいろとあるようだが、どうも私は電子レンジになじめないのである。

電子レンジの存在を知ったのは、高校生くらいだっただろうか。私の周囲でいちばん最初に電子レンジを買ったのは、医者の娘のMちゃんの家だった。どんな電気製品も同じだが、出始めはとても高価で、一般的なサラリーマン家庭だと、購入を即決できず、悩みに悩んだ末、

「やめよう」

といいたくなるような価格だった。彼女は性格のいい子なので、それを自慢するわけでもなく、

「お母さんが欲しいっていったの」

と淡々としていた。お父さんもこれでおいしい料理が作ってもらえればと、特別、文句もいわなかったらしい。

「中身が熱くなってても、器は手で持てるらしいね」

「そうそう、牛乳ビンの蓋を開けて中にいれると、ビンは手で持てるのに、牛乳はすごく熱くなってるんだって」

「すごいねーっ」

私たちは電子レンジに関して、耳に入ってくる噂を公開しあい、あらためて驚嘆した。まるで魔法の箱である。Mちゃんに確認すると、お父さんの晩酌のときに電子レンジを使うと、徳利は手で持てるのに、中の酒は温まっているという。

「本当にそうなのよ。牛乳ビンも手で持てるよ」

私たちは真剣な顔で聞き入った。そして、その魔法の箱はどんなものかと、どやどやとMちゃんの家に見学に行ったのである。

「まあまあ、みなさんで、どうぞどうぞ」

品のいいお母さんは嫌な顔ひとつせずに、台所に招き入れてくれた。

「どうもすみません」

私たちはぺこぺこしながら、台の上に鎮座している電子レンジを目の当たりにした。

「へえ、これが」

「ほお」

「オーブンと同じくらいの大きさですねえ」

一同、四方八方から電子レンジを眺めた。

「はあ、なるほど」

一人の子が図々しく、扉を開け閉めしたので、

「ちょっと、あんた、触るのはやめなさい」

とみんなで注意した。

「あら、いいのよ、気が済むまで見て下さい」

「本当にすみません」

また私たちはぺこぺこしながら、

「あら」

「まあ」

と内部を眺めた。とても魔法の箱とは思えなかった。

「ちょっとやってみましょうか」

お母さんが牛乳ビンの蓋を開けて中にいれ、スイッチを押すとレンジ内が明るくなった。私たちは息をひそめて牛乳ビンを見ていた。チンと音がして、お母さんが中から取り出すと、ビンは平気で手で持てるのに、中の牛乳は熱くなっている。噂は本当だったのだ。

「わあ、お母さん、すごーい」

私たちはかわるがわる牛乳ビンを手に持って、現実を確認し、ぱちぱちと拍手をした。

「まあ、おほほほ」

お母さんは笑った。

「どうしてこうなるんだ？」

「信じられない」

牛乳をかわりばんこに飲んで、みんなは首をひねった。そしてそれぞれの家に帰ったあと、目撃した電子レンジの不思議を、家族に興奮して話したのであった。

私たちは材料を電子レンジにいれたら、レストランで食べるような豪勢な料理ができるような錯覚にも陥っていた。

「どう？　毎日、おいしい料理を食べてるんでしょう」

と聞いた。あの魔法の箱を使って、世界各国のどんなものすごい料理を作って食べているのかとMちゃんに聞くと、どうも歯切れが悪い。

「それがねえ」

と口が重いのを、

「ふむふむ」

と興味津々で目を輝かせると、

「使うのは牛乳をチンするときと、お燗をするだけになっちゃったの」

「え、たったそれだけ」

「そうなの。最初のころはお母さんも面白がってやってみたんだけど、やっぱり鍋で作ったほうがいいって、今はそれだけしか使ってないのよ」

「へえ」

高価な電子レンジを牛乳とお燗のためだけにしか使っていないというのは、意外だった。一同、また家に帰って報告すると、買えない庶民の思いもあってか、親のリアクションは、

「そんなもんだ」

と妙に冷ややかだった。

それからどっと電子レンジは普及した。あれだけ高価な魔法の箱だったのに、今では何千円かで買えたりする。若い人にとっては鍋がなくても薬缶がなくても、電

子レンジさえあれば、食べるのには困らない生活必需品になっている。お年寄りの世帯でも、火を使うと危ないというので、電子レンジを奨励していたり、夏場は火を使わないので、料理を作る主婦が楽だという話も聞いた。使用する時間が短いので、火を使うよりも省エネというのもウリだ。高校生のころは電子レンジの理論もわからないから、ただ驚いているだけだったが、後年、わからないなりにしくみを知ったとき、

「そんなの嘘だ！」

と真っ先に思った。高周波の電磁波を使って、外側ではなく中から温めるって、いったいどういうことだ。そんなことがあっていいのか。理系に強い人にとっては、当たり前の理論なのだろうが、ただでさえあまり頭もよくなく、理系のことは全くわからない私は、ただただ火を使った原人的本能で、

「そんなことはありえない！」

というしかない。物は外から熱して温まる。それが中から温まるなんて間違っている。自然の摂理に反しているし、そんなことをして調理したものが、体にいいわけないのである。

電子レンジは私のなかで、魔法の箱から怪しい物へと変化していったのだが、何年か前、使ってもみないで批判するのもよくないと、電子レンジを買った。料理を作る気はないので、冷凍した御飯の解凍に使ってみた。

「どうせおいしくなんかないに決まってる。だって中から電波で変なことをしてるんだから」

と鼻でせせら笑いながら食べてみたら、これが口惜しくなるくらいおいしい。まるで炊きたてのようだし、蒸すよりもずっとおいしいのである。

「嘘だ！　そんなはずはなあい！」

頭にきて買ったばかりの電子レンジは、年下の友人にあげてしまった。とにかく納得しないものは使いたくない。これは嘘だと頭では思っているけれども、実際はおいしかった。それがまた許せなかった。

最近は電子レンジだけで作れる料理も開発されている。料理の先生も電子レンジを使うとき、私がテレビで見た範囲でのことだが、

「チンして下さい」

といっていた。調理法には、煮る、炒める、焼く、蒸す、ゆでる、揚げるといっ

た方法があるが、チンするとはいったいどういうことか？　そんな調理法はないぞ。チンといったら犬の狆ともうひとつしかない。言葉できちんと表現できないような調理法で、体内に入れる料理なんか作れない。

「電子レンジで電磁波を放射して加熱して下さい」

といったら食欲は減退するに違いない。チンでごまかされる背後にある、私にとっては怪しい物の本性をどうにかして暴きたいのである。

主婦の知り合いと食事をしていたとき、彼女はドリアを食べていたのだが、話に熱中しているうちに、ドリアが冷めてしまった。すると彼女は、

「電子レンジを使った料理ってわかるのよ。冷め方が早いような気がするし、冷めたときの味もちょっと違う」

といった。私はまるで鬼の首でもとったように喜んだ。便利だといわれている物には、絶対、落とし穴がある。

「ふっふっふ」

と喜んでいたら、後日、私がカレーを作ったときに、四十五分かけて玉ネギを炒めたと聞いた友人が、

「あれは水分をとばせばいいので、電子レンジだと三分くらいでできますよ」

と教えてくれた。一気に、

「しゅ〜」

と萎えた。ふるまった友人たちは、おいしいと誉めてくれたが、とにかく玉ネギ炒めがものすごく大変だった。それが電子レンジではたった三分でできる。でも私は、絶対に仕上がりの味が違うと信じている。

そして最近また、新たな信じがたい情報が寄せられた。何と電子レンジでパスタをチンするんだそうである。出来上がりはゆでたのと同じだという。そんなことがあるか？　いったいどうなってるんだ、と教えてくれた編集者を問いつめたら、

「あの、あの、詳しくはよくわかりませんが、妻はそうしているといってました……」

と涙目になっていた。怪しい電子レンジは、そんなことまでやるようになった。それなら材料を丸ごと入れたら、五分後にカレーが出来上がるようにしてみろってんだ。電子レンジはどこまで怪しくなっていくのだろうか。偏差値と脳の構造の問題で、詳しく電子レンジの理論が理解できないのが口惜しいが、私は「火の使用」

をした原人の本能で、これからも生きていこうと思っているのである。

自分の尻は自分で……

出会い系サイト、ツーショットダイアルという名前を耳にするようになってずいぶんたつが、私は携帯電話を使わないし、そういうものにアクセスしたこともないので、具体的なシステムはよく知らない。ただ男女間のトラブルが原因のニュースで、双方の接点が、

「出会い系サイトで知り合って……」

と報じられることがあまりに多いので、たくさん利用者がいるのがわかった。偏見かもしれないが、

「出会い系サイトやツーショットダイアルにアクセスする人間は、ろくな奴じゃな

い」

と思っている。なかにはサイトがきっかけで、よき伴侶を得た人たちもいるのだろうが、それはたまたまいい相手に巡り合い、運がよかったからだ。多くの場合はそうではないし、よからぬ人間が連絡してくると予測がつくのに、それでも連絡してしまうというのは、考え方に問題があるとしか思えない。悪い奴はほくそ笑みながら、都合のいい獲物がひっかからないかと網を張って待っていて、そこにみすみす引っかかっていくのが、理解できないのである。

自分だけは大丈夫という、わけのわからない自信があるからなのだろうか。自分の意思に反した力ずくで犯罪に巻き込まれた人は、お気の毒としかいいようがないが、悪い奴が網を張って待っているところに、ちょっと考えれば危険が回避できるのに、つまらない好奇心で足を踏み入れ、犯罪に巻き込まれた被害者に対しては、気の毒だとは思えない。

「自業自得じゃないのか」

といいたくなるのである。

出会い系サイトで知り合った異性に、お金を貸してくれと頼まれ、断りきれずに貸したら、相手に逃げられた。そういう人のために、代わりに貸したお金を回収する仕事があるという。業者が相手に連絡をとって呼び出し、被害者に少しでも貸したお金が戻るようにするのだ。世の中の変化に従って、新しい仕事が出てくるのは常だが、私の感想はただひとつ、被害者に対して、

「情けない！」

である。だいたい、自分が出会い系サイトにアクセスして、そこで自分が選んだ相手と交際して、盗まれたわけではなく自分で財布を開いてお金を渡した。すべて自分が決めたことである。別に歩いていたところを捕まえられて、無理矢理付き合わされてそのあげくに金を取られて逃げられたわけではない。それなのにお金が惜しくて、第三者に依頼してまで返してもらおうとする。それにしても虫がよすぎないだろうか。

私が子供のとき、よく「自業自得」という言葉を耳にした。よそ見しながら歩いて電信柱に激突したり、ふざけていてドブにはまったり、学校で先生に怒られたり、私が痛さで泣いたり不満で口をとがらせたりしても、親がいったのは、

「自業自得」

だった。してはいけないとあれだけいったのに、少し考えればどうなるかわかるのに、それでもやってしまって自分が痛い目に遭ったのは、

「あんたが悪い」

というわけである。自分だけは大丈夫という甘えが、痛い結果を招いた。そういわれたら何も反論できなかった。誰でもない、自分が悪いのであるから、じっと己れのふがいなさや情けなさを反省しなくてはならない。私だけではなく、当時の多くの人々はそういう感覚で暮らしてきたのだと思う。

「自分のお尻は自分で拭く。他人に拭いてもらうのは、とても恥ずかしいことだ」

ともいわれた。自業自得と自己責任はドブにはまった子供にも教えられたのである。

しかし現代はそうではない。お金さえ払えば、喜んでお尻を拭いてくれる人がいる。恥じることもなく拭いてもらう人がいる。昔だって善人ばかりがいたわけではない。それでも、

「騙すほうはもちろん悪いが、騙されるほうも悪い」

という認識があった。異性に金銭を騙し取られる人もいたはずだ。たとえば友人

が被害に遭ったら、ほとんどの人が、

「人生の高い授業料だと思いなさい」

と慰めたのではないか。もちろんその中には、

「騙されるあんたもちょっと悪いぞ」

という意味も含まれた。でもそれで済んでいた。誰かに頼んで、金を取り戻そうという人は、ほとんどいなかったのではないだろうか。逆にそっちのほうが騙されるより恥ずかしい。人生での失敗なんて、恥ずかしいことではなく、生きていくうえで必要な過程だと、根本的にわかっていたからなのだ。

しかし今の人は、平気で他人に自分の尻ぬぐいを頼む。自分が人を見る目がなかったのに、被害者意識ばかりが先行して、

「私は悪くない。ぜーんぶ相手が悪い」

状態になる。だいたいまともな人間は、怪しいところには近付かない。近付くのならばそれなりのリスクを負わなくてはならない。リスクを負う根性もないくせに、ただふらふらとうまい言葉にのせられて騙されてしまった。そしてあとは大騒ぎだ。騙された上に金まで取られたと口惜しいのはわかるけれども、どうしてそうなった

か、よーく考えてみたほうがいいのだ。

出会い系サイトにアクセスするのは、自分がいい思いをしたいからだ。毎日がつまらないから、異性と知り合いたいから、男性に奢ってもらいたいから、レディスコミックみたいに、燃え上がる大恋愛が待っているかもしれないから。いい思いをすることばかり考えている。つまり自分しかないのである。たとえ悪い奴に引っかかったとしても、交際途中でもちょっとおかしいと感じることはあったはずだ。だいたい交際期間が浅いのに、すぐにお金を貸してくれといわれたら、どういう人間かわかる。それでもすでに好きになった（と錯覚していた）か、肉体関係ができて逃げられたくなかったのか、ずるずると関係が続いていく。相手は愛情なんかないのだから、金を出さなくなったら次のターゲットを狙うだけだ。加害者も被害者も自分のことしか考えていない。気が回らないというか鈍感というか、ものすごく鈍くなっているとしか思えないのである。

相手と接しているときに、雰囲気でちょっと変だと感じとれなかったのか、あったけれども離れられない何かが生じていたのか、どちらにせよそれは、当人が未熟だったせいだ。相手に持っていかれたお金は、これから成長するための授業料なの

である。もしも私は友人が同じ目に遭って、

「授業料だと考えることにする」

といったら、よくぞいった、立派な心がけだと尊敬する。何かあったら助けてあげようという気にもなる。しかし、

「業者に頼んで、取り戻してもらった」

と聞いたら、よかったねというより、

「何て、せこい奴」

と軽蔑してしまうと思う。それは自分の失敗に対して、どう責任を取るかがその人の度量だからだ。責任は他人にとってもらうよりも、自分が自分自身のために取らなくちゃならないほうが、ずっと多い。心も痛いし、あるときは財布も痛い。しかしそれをしっかりと受け止めなくてはいけない。今の人はそうではなく、他人の責任は厳しく追及するけれども、自分が負うべき責任に対しては、ものすごく甘く、それを突っ込まれるとただひたすら被害者意識の塊りとなって頑なになる。金銭で頼まれてそれを援護する人も現れるから、結局、自業自得とか自己責任はどこかにふっとんでしまう。被害者にしたら、泣き寝入りはしたくないのだろうが、泣き寝

入りの種を蒔いたのは誰なのだ。自分が責任を負わなくてはならない場合、そうではない場合、人のありかたとしてそれぞれ基準があったはずなのに、感覚の違う人が増えたと思わざるをえない。

社会がめまぐるしく変わって、大人も子供も、流行や時間に流されてあたふたしている。みな腰が浮いている感じだ。地に足がつかずに、ふわふわしている。昔だったら考えられないような事件は起こるし、次から次へと流行だの何だのと報じられ、それに乗らなければ恥ずかしいと感じる。大人が子供に対して、流行にどうつきあっていくかを教えなくてはいけないのに、母親が娘の服装を真似して、自分は流行に敏感で若いと喜んでいる。娘と一緒に「モーニング娘。」の格好を真似したファッションの母親を見たことがあるが、大人の幼稚化が目に見えるようだった。

昔の人は自制したり我慢したり、手に入れようとすれば手に入れられるものでも、

「自分はまだそんな分ではない」

と欲しがろうとしなかった。しかし今の人は、

「行けるんだったら、行っちゃえ。欲しいものは何をしてでも手に入れたい」

といった感覚だ。もう子供には大人になってからの楽しみなんていうものはなく

なった。子供のときに全部欲しいし、手に入れられるような世の中になってしまったのだ。行かなきゃならないときに行かず、行っちゃいけないときに突っ走ってしまう。知恵が欠落しているし、恥の感覚も違っている。

小学生の女の子たちが赤坂で監禁されて助け出されたとき、彼女たちは、「自分たちが悪い」といったと報じられていた。かわいそうに、電柱にぶつかったり、ドブにはまったりするのとは程度が違う事件で、自業自得と自己責任を知ってしまった。この事件の話の中で驚いたのは、小学生が渋谷に行くときに、

「お金なら何とかなる」

といったという言葉だった。お父さんやお母さんたちは、お金が何とかならないで苦労しているというのに、アルバイトも許されていない年齢の子供に、そういわせてしまう世の中は明らかにおかしい。が、ここまできたらもう昔のような世の中には戻らないし、欲しい物のために売春する十代の子供たちも減らないだろう。プロと素人、大人と子供の区別なんて、全くなくなってしまった。

世の中の男性が全員、買春に関係しなくなるとは絶対に思えない。昔の、家が貧しくて親、兄弟のために、泣く泣く体を売らなくてはならない、気の毒としかいい

ようがない娘さんとは、今の女の子たちは違う。自分の楽しみや欲のためにやっている。「恥」の感覚を学ぶこともなく、お金になるのなら売春にも抵抗がない彼女たちに教えるのは「自業自得」と「自己責任」しかない。

「やりたいのだったら、自分のお尻は自分で拭けるようになれ」

というしかない。といっても大人が自分の手で自分のお尻を拭こうとしないのだから、とうてい無理な話だろうなあと途方にくれてしまうのであった。

おばば、おじじ登場

今、ブームといわれて、頭に浮かぶのはアンティークのきものと、小型犬である。まずきもののほうだが、若い女性たちが古着店に通い、たくさんの雑誌や本も出版されている。きもの好きの私としては、若い人がきものに興味を持ってくれるのは、とてもうれしいのだが、いっとき流行してあっという間にすたれたニューキモノと同じような運命をたどるのではないかと、危惧しているのである。

私の感覚からすると古着、リサイクル品と呼んだほうがいいきものが、ひっくるめてアンティークと呼ばれている。洋服だと古着を買うと平気でいっているのに、きものだと、古着を買っているというとみじめな雰囲気が漂ってしまうからだろうか、誰かの巧みなイメージ戦略によって、古着もリサイクル品もアンティークと、ちょっと格上げされているのである。私は自分が着るための古着は買ったことがない。

今から十二年ほど前、戦前のデッドストックの市松人形にひとめぼれして買い求め、きものを縫うための布地探しに古着店に行った。ところが人形が五十センチ以上と大きく、端切れでは長さが足りない。四歳から十歳前後の子供が着る、四つ身のきものでないとだめだった。大きさでいうと赤ちゃんが着るようなきものでもいいのだが、それだとしみや汚れがたくさんあって、いくら人形でもきものとして使うには状態がよくなかった。

その当時古着店に来ていたお客さんは、人形のきものを縫うとか、和布のパッチワークをしているとか、小物を作るための素材探しのためで、きものそのものを着るために来ていた人はほとんどいなかった。汚れがあっても、部分的に使うには問題はないが、人形のきもののように大きい面で使うとなると、きものそのものの状態がよくないと使えない。柄もあまりに大きいと、きものに仕立てたときに何が何だかわからなくなるので、きものを求めて何軒も古着店を回らなくてはならなかった。お店の人に用途を話し、やっと見つけた紫色の縮緬のきものは、身丈が百四十センチほどで三万八千円だった。どこにもしみも虫食いもなかった。他にも古着はたくさんあったが、いかんせん状態がよくなかったり、布地が弱りすぎていたので、このくらい出さないと、満足できる品物は見つけられなかったのであった。こんな調子じゃいくらお金があっても足りないので、うちの人形の縮緬の振袖はこの一枚だけになったが、私は古着と聞くと、このときの印象が強く残っている。だから古着店で三千円だの、五千円だのと本に書いてあるのを見ると、いったいどういうきものなのだろうかと、不思議になってくるのである。

四、五年前、古着店ではない、当時行きつけの呉服店で更紗の古布の二部式の帯を買った。思いのほか値段が安く、一本あってもいいかなと思ったのだ。ところがついこの間出してみて、それこそアンティークの帯だったはずなのに、ただのボロ布の帯としかみえなくなっていたことにびっくりした。布がもうがっくりと疲れきっていて、もう帯としては締められないし、締めたくない表情になっていたので、袋物にでもしようとほどいてみたら、これまたびっくり仰天した。裏には三ミリ、五ミリといった大きさの、ものすごい数のつぎがあたっていた。つまり一面に開いていた虫食いの穴を、裏から共布をあてて細かく接着剤でふさいであったのである。更紗の柄にまぎれて全くわからなかった。すでに限界だった布地を、手間をかけて再生した努力はかうけれども、これは袋物にするにも布は弱りすぎていた。帯の値段は虫食い穴の補修の手間賃だけだったのだ。結局、全く無傷の部分は、全体で十センチ角、三枚分しかなく、何かのときに使おうと、端切れの箱に入っている。

古着店には人が手を通したものもあるし、新古品といわれる新品のままいろいろなルートをたどって、並べられるものもあるようだ。一般の呉服店で売られているきものは、値段は売り手の言い値というような部分も多かったが、今は以前ほどひどいことはないと思う。それよりも古着のほうが、難ありのものは安く、品質や状態のいいものは高いという値段設定ははっきりしているはずだ。それで店で売って三千円で利益が出るきものがあるのだ。

安い理由として、まず正絹ではない。正絹だったらしみ、汚れ、痛みがあって、着用ぎりぎりの限度の状態のものといったところだろうか。いずれにせよ、それはきものとしては短命の部類といえるだろう。きものに対して精神論をいいはじめると、とんでもないことになるし、私もきものはたかが着る物とは思っているが、洋服のように着捨てる物ではないという気持ちが根本的にある。派手になったら染め変えたり、また羽織にしたり、帯にしたりと繰りまわす。それがとても楽しい。ただ古着を買う人の多くは、洋服を買うのと同じ感覚できものを買うので、そこまで考えているかどうかという点で、私は疑問を持っている。気に入った柄のきものが手頃な値段で見つかり、着ていてうれしいというのなら、それは喜ばしい。問題はその後なのである。

かつて古着店で現物を見た経験と、古着のきものの雑誌や本で見た限りでしかいえないが、写真で見る限り千円単位のものは、ちょっとなという品質だった。四万円前後から上の値段だと、仕立ても生地も問題がないように思えた。よっぽどのきもの好きなら別だけれども、携帯料金や洋服にもお金をかけたい若い人、きものがはやっているから着たいと考えている程度の人が、それだけの出費をするとは考えられない。彼女たちはちょこっとお金を出して、きものを着る雰囲気を味わいたいだけなのだ。となると、着用ぎりぎりの状態で売られているお手頃値段のきものは、その後、どうなってしまうのか。着用回数が多くて、裂けてしまうこともあるだろう。くたびれた感じがしてきたりもするだろう。柄に惹かれて買ったけれども、二、三年たったら飽きてきた……。そのときのきものの行方が気になるのだ。

きものは着たいけれども、半襟すら自分でつけられない人も多い。襟がファスナーで取りはずしできる襦袢も売っているから、着るときはそれを使えばいいけれども、針を持たない、持つ気もない人たちに、繰りまわしの気持ちがあるとはとても思えない。針仕事は苦手だからと、帯を作るのに手芸用ボンドで貼り付けて作ったり、気に入った木綿の布でどうしても帯を作りたくて、自分の持っている帯を見ながら、半泣きになりながらも必死で縫ったという若い人の話を読んだりすると、

「本当にえらい！」

と拍手をしたくなる。針仕事の苦手な人には酷かもしれないが、きものと針仕事は無視できない関係にある。私も浴衣を縫いたいと思いつつ、浴衣を直した湯上がりガウン程度で針仕事は止まっているが、若い人でも、針仕事が苦手でも好きなきものを何とかお金をかけずに、自分の頭と手を使って楽しく着ようとしている人は、絶対にきものを粗末に扱うことはしない。古着で安いきものを買ったとしても、繰りまわして何とか別の形で活かそうとするだろう。そういう気持ちを、古着のきものを買っている娘さんたちがどれだけ持っているか心配なのだ。

ポリエステルのきものは、繰りまわしがきかないし、正絹でも生地自体が弱っていたら、裏打ちをして補強しないと小物にするにも難しい。そんな手間がかかることを、半襟つけすら覚えようともせず、しようとしない人に、できるわけがない。そうなったら着られなくなったきものは、何らかの形で処分するしかない。それでも買い取ってくれるところがあればいいが、買った時点でぎりぎりの状態で、値段と着用状況からしたら、ただでも業者は持っていってくれないのではないだろうか。そうなったらゴミ袋でさようならだ。

古着を探す若い人の天敵は「古裂《こぎれ》おばば」と呼ばれる、古着でパッチワークや小物を作るおばちゃんたちであるらしい。それは自分たちが着るきものを、鋏で切り刻んでしまうからという理由らしいのだが、そう言うのであれば、買ったきものは布地になっても、最後までちゃんと大切にして使いきって欲しい。二、三年後に着飽きて捨てられるくらいなら、最初っから「古裂おばば」の手に渡って、バッグや小物に再生されて、大切に使われたほうが、布地としては幸せなのではないかと思う。

安い古着は短期決戦のきものである。巷の流行に乗り遅れないようにするには最適だ。古着店を営んでいる人も、きものが好きで扱っているのだろうから、大切にして欲しいと思っているだろう。が、安ければいいと考えている買い手に、それはどのくらい伝わっているのだろうか。お金を貯めてやっとの思いできものを買って、それを一生、大切に着ようという気持ちとは、同じきものを着るという行為でも少し違う。やはり買い手が手間をかけることが必要なのだ。

小型犬は着るものではないが、昨今のブームは古着きものよりも心配だ。チワワ、ミニチュアダックスフントが人気らしく、若いお兄ちゃん、お姉ちゃんが、かわいい犬たちを連れているのを目にする。彼らはとてもお洒落な格好をしていて、まるで雑誌のグラビアのようだ。しかしへそ曲がりのおばちゃんである私は、彼らに、

「その犬、年取りますよ。わかってます?」

と悪魔の声で耳打ちしたくなる。そりゃあ、赤ちゃん、子供のときは何でもかわいい。こんなかわいいものが世の中にあるのかといいたくなるくらいだ。しかしルルちゃんやプリンちゃんも、日々、年をとって老いていく。自分たちよりも老いが早いのである。

「あんたたちは、犬がそうなったとき、金銭的にも肉体的にもすべて受け止めてい

けるのか。その覚悟があるのか」

と聞きたくなるのだ。口が臭くなる、室内のそこここで粗相をする、毛が抜ける、吠える、徘徊する、病気になる……。悲しいことだがいろいろなことが犬たちにも起こる。動物は古着のきものと違って、感情があり生きている。よっぽどの気構えがないと、飼えない。それなのに何だかブームにのせられて、ただ、かわいいというだけで動くぬいぐるみみたいなつもりで、家に連れて帰っている輩が多いような気がする。シベリアンハスキーがブームになったとき、後年、飼いきれなくなって、保健所に年老いたハスキー犬が持ち込まれたと聞いた。それと同じ現象が、十数年後の小型犬に起きるような気がしてならない。古着きもののブームが去ったとき、余剰在庫を救うのは、手間をかけたり、手を使うことが習慣になっている古裂おばばたちである。おばばたちにはきものを布として再生してもらうべく、がんばって欲しい。小型犬ブームが去ったとき、よぼよぼになった犬を救うのも、お兄ちゃん、お姉ちゃんを自らの手で育てた、おばばやおじじである。きっと飼いきれなくなったら、彼らは親に泣きつくに決まっている。辛抱強く子育てをしたおじじやおばばに、犬たちを救ってもらいたい。ブームにのるのはかまわない。品物でも生き物でも、手にいれた対象物には愛情を持つべきだ。近頃は基本的に物を最後まで愛おしむという感情が薄れているのではないだろうか。流行に遅れまいと、それに浮かれている「考えない」一部の人たちは悲しい。彼らを見るたびに、人間とは罪つくりなものよのうとつぶやいてしまうのである。

あっちでもこっちでもプチプチ

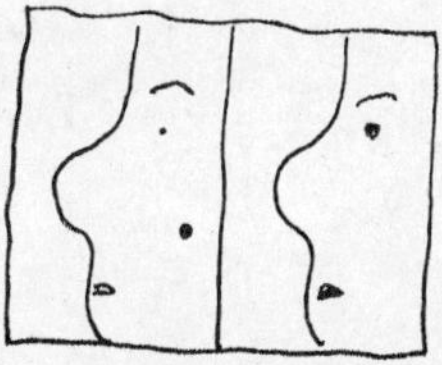

何だか、そこここで美容整形が行われているようである。美白も当たり前、また体の中から美しくならねばというので、純度の高い酸素まで吸入している人もいるそうである。かつてマイケル・ジャクソンが、整形、美白、酸素が出る機械の中に入って、老いを防いでいるというのを聞いて小馬鹿にしていたが、みなマイケル・ジャクソン化しているということだ。この点ではマイケル・ジャクソンは、輝ける先駆者といえるだろう。日本の若い女性は、何でもプチが好きだ。家出でも断食でも整形でも、プチとつけばどことなくかわいらしく、精神的重さも薄れて軽い感じになるようで、あっちでもこっちでもプチプチやっているのである。

かつて美容整形は一大事だった。もちろん知り合いでやる人なんぞおらず、ほとんどが芸能人だった。それもまだ技術が未熟だったため、一目で、

「あ、あなた、やりましたね」

とわかる代物だった。一重瞼はくっきりと不自然な二重に、低い鼻はこれまたとってつけたように鼻筋が通った。あんなに見事にばれるんだったらやらなきゃいいのに、それが芸能人の性《さが》なのか、美に対する感覚が違うのか、

「あたし、整形なんかやってないわ」

というような顔をしてテレビに出ていた。整形する人の気持ちはわからないではない。私も自分の顔が嫌いで、物心がついたときからいつかは整形しようと、ちまちまと小銭を貯めていたこともあったからだ。

私が整形をやめた理由は、二十歳のときにアメリカに行ったのがきっかけだった。当時は彫りの深い白人顔が憧れの顔だったが、その憧れの顔を持った人たちは、コンプレックスだらけの私の平安朝の平たい顔を見て、

「鼻が低くていいわねえ」

とうらやましがった。非の打ち所がないように見えた顔立ちの彼女たちは、

「鼻が高すぎて、顔が怖くみえる」

「鼻の途中に段がある」

と口々に自分のコンプレックスを話しはじめ、

「あなたの顔は、ジョーンズさんの奥さんからもらった、日本の人形にそっくりだ。なぜ整形する必要がある」

といった。日本人形ってあのうりざね顔の博多人形かしらと思ったら、こけしだったのがちょっと問題ではあったが、どうして私が整形したいなどというのか理解できないというふうだった。

この経験があって、

「この平安朝の顔も、海外に出ればうらやましいと思われたりするのね。そうか、そうか、今までものすごーくちっこいところで悩んでいただけだったのね。ワールドワイドで考えたら、ぜーんぜん、気にすることでも何でもなかったんだ、あっはっは」

とお気楽に考えられるようになった。そして貯めたのも微々たる額ではあったが、貯金は本代、レコード代に消えたのである。

美容整形をしたいという人も、何かきっかけがあったら、ふっきれる部分もあるのかもしれない。しかし心の奥底までコンプレックスが浸透してしまって、誰かに対する恨みつらみが発生し、そのことで性格が暗くなって、ますます人間関係がうまくいかなくなっているとなったら、整形したほうがいい。それをきっかけに気持ちが明るくなって、人間関係がスムーズにいくのだったら、他人があれこれ口を出す問題ではない。美容整形をしたいという気持ちは当人しかわからないのだから、やりたい人はやればいいのである。

で、変わったなと感じるのは、整形をした後の女性たちの心理である。私が育った時代は、

「親からもらった体に傷をつけるとは」

という意識が罷り通っていたので、一般の娘さんが美容整形するなんて、まずありえなかった。大学生のときの同じクラスの女の子が、夏休みが終わった後、一重瞼がくっきりした二重瞼になって登校してきて、明らかに整形したことがばれた。みんなが顔の違いにびっくりして、声もかけられずに遠巻きに眺めていると、一人の呑気な女の子が、

「あらー、あなた、整形したの？」

と聞いた。誰が見ても百人が見ても千人が見ても一万人が見ても、整形したとわかるのに、当の彼女は、

「絶対にやってない」

と強硬にいいはった。そういわれたら、していないことにしなくては、人間関係は丸くおさまらなかった。彼女はとても明るくふるまっていたが、私たちから見ると、明らかに前のほうが素朴でかわいらしかったので、

「何だかなあ」

という気分だった。明らかに失敗していると思われるのに、前の顔には戻れず、また彼女がうれしそうにしているというのが、不憫だった。

美容整形は、昭和二十年代生まれの私の感覚からすると、うしろめたく罪悪感が伴うものだった。親からもらった顔というのは、すなわち神様が与えてくれた顔であって、部分に少し問題があっても、全体的にはバランスがとれているというのが、みなの言い分だった。ちっこい目も低い鼻や平たい顔とはバランスがとれている。だから一部分だけ手直ししても、バランスが崩れてもっとおかしくなるのだという

わけである。私もよく親にそう説得された。が、今になって思うとうまく騙されちゃっていたような気がする。バランスが崩れるといわれても、そのバランスが保たれているはずの顔が嫌なのだから、どうしようもない。「神様」という実体のない存在まで登場させて、うまーくいいくるめられ、最後には「外見より心を磨け」といわれたりして、若い娘たちの多くはそんなもんかとしぶしぶ納得して過ごしてきたのである。

もっと日常的な事でも、やってるのに、やってないということが多かった。学校のテストのとき、クラスメートに、

「勉強してきた?」

と聞かれたら、実はやってるのに、

「ううん、やってない」

と答える。化粧だって何か特別なことをしているかと聞かれて、めっちゃくちゃ、寝る前に塗りたくっているのにもかかわらず、

「ううん、何もやってない」

としらをきる。もちろん結婚する予定がない男性と、深い関係になっていても

「何もやってない」といい張る。とにかく、「何もしてない」という方向にもっていく。やってても「やってない」人がほとんどだった。これは今風にいえばプチ嘘つきである。いいほうにとれば、やってるといって、相手にプレッシャーをかけるのを避けるという意味合いもあったかもしれない。これは自分に対する保険でもあった。もしも正直に、勉強をしたといって、勉強をしていない子よりもテストの成績が悪かったら、みっともないことこの上ない。プレッシャーが自分にかかる。だから しらをきっていれば、万事、うまくおさまって、相手にも自分にもプレッシャーがかからないし、偉ぶっていないから嫌われるリスクも少ない。嘘も方便という処世術だったのだ。

若い女性のなかには、ものすごい秘密主義の女性もいて、たいした問題でもないのに、やたらと隠しまくるタイプもいるが、少しでも他人から何かいわれないために、鉄壁のガードを造っている。これはまた別の、精神的な根深いものを抱えているように思える。が、多くの場合、開けっぴろげすぎるくらい、開けっぴろげだ。

外見に対しては、「襤褸《ぼろ》は着てても心は錦」なんて絶対に通用せず、「『錦は着てても心は襤褸』でも、全然、ＯＫ」

という声が聞こえてきそうだ。外見がすべてである。自分のコンプレックスを解消する具体的な方法をよく知っていて、かつての私みたいに、ただ漠然とした「整形」が頭のなかでぐるぐる回っているのと違い、持っている情報量が豊富だし、

「私はやった！」

と堂々としている。整形した場所まで明かす。うしろめたさなんて全くないし、親が娘に勧めたり、母親と一緒にプチ整形をする。雑誌は美容整形外科の広告でページを埋め、手術前、手術後の写真が載っている。たしかにそれを見ると、目はぱっちり鼻は高くなっている。エラを削ったり乳をでかくするのは、プチではないと思うが、プチという言葉に騙されて、そういった手術もプチ整形の部類に入れられている。ちょっと目をいじったり、鼻をいじったりするのは、以前流行った、落ちない入れ墨眉毛と同じ感覚になったのだ。

今の世の中、あふれる情報をより早く、より多く自分のものにできる人が、うらやましがられる。流行の服をいち早く着る人、ブランドの新製品やレアものを買える人、新しくできた店に出かける人。それとプチ整形も同列だ。誰だって不細工でいるよりもきれいになりたい。美人になるよりも顔つきが美しくなるべきなのだが、

彼女たちは顔つきが美しいという意味は理解できないから、目がぱっちり、鼻が高いといった判断基準しかない。それはかつての私も同じだったが、年齢を重ねていくうちに多少は学んでいった。今の若い女性は、刹那的に生きているような気がしてならない。プチ整形の情報に精通して、こんなにきれいになるんだったらやりたいなと思っても、金銭的な理由で、またどうしてもそこまでは踏み込めないと迷う人もいる。そのなかで手術を受けた人は、

「あたしはやったわよーっ」

と宣言する。そのうえきれいになったとなれば、人より先んじたという喜びが深まるだろう。とにかくかつての「やってない」は意味がなく、

「どれだけやってるか」

に価値がある時代になった。それだけ自分の体にお金をかけられるという自慢にもなる。自分に財力がなくても、誰かがそれを負担してくれれば、それはそれで自分にお金を出してくれる人がいると自慢できる。目に見えるものにしか達成感が得られないのだ。短距離走のスタートラインに並んで、フライングでもいいから一歩でも他の人より先にいって、

「やってる人生」を送りたがる。またそういう人を羨望のまなざしで見たりするから、とにかく何でもやりまくって、それをみなに知らしめるという風潮になるのだろう。他の人より一歩控えめな態度なんて、ある年代以降から、消滅したのかもしれない。プチ嘘つきとやってる人生と、どっちがいいかというと、どっこいどっこいだとは思うが、とにかく大声で「やってる」とわめく人を目にするのはしんどいことだと、かつて美容整形希望者だったおばちゃんは思うのであった。

楽しいから本を読む

長い間、私にとって趣味というか楽しみは、読書しかなかった。私は昭和二十年代の終わりの生まれで、それ以前に生まれた人も含めて、他に選べる趣味や楽しみが少なかったのも理由のひとつだろう。読書、音楽鑑賞、映画鑑賞、楽器演奏、囲碁、将棋。行動派だと登山、スキー、スケートなどがあげられるが、寒い地域の人はスキーもスケートも生活に密着していただろうが、東京でスキーやスケートが趣味といえるのは、坊ちゃん、お嬢ちゃんの部類だった。学生時代、書類の趣味の欄に書くのは、読んでいようがいまいが、いちばん多く書かれていたのは「読書」だったのではないか。

「あんたが本を読んでいるとこなんて、見たことないよ」

というような子でも、読書と書いておけば格好がつくので、平気で書いた。それほど読書はポピュラーなものだったのである。

ところが最近は、本を読む人がどんどん減ってきている。減っているとは以前から聞いていたが、盛り返すどころかますます先細りらしい。かつては若い人が本を読まなくなった理由は、漫画のせいだといわれていた。活字本の敵は漫画だった。年輩の文芸書の編集者が、

「最近の若い人は漫画しか買わないからねえ」

と嘆いているのを何度聞いたかわからない。しかし本好きの立場からいわせてもらうと、漫画本も本のうちで、活字ばかり読んでいたわけではない。漫画でも素晴らしいもの、楽しいもの、面白いものがたくさんあり、活字本と区別してはいなかった。しかし売る側としては、活字の敵は漫画だと位置づけていたのである。

しかし今は漫画の売り上げの減少のほうが著しいと聞いた。若い人は漫画すら買わなくなった。理由は携帯電話が普及したせいだという。本を手にしない人によると、ページをめくるのが面倒くさい。漫画は絵と文字を読むのが活字本より面倒な

のだそうだ。携帯電話でメールをやりとりするから、文章力が上がるのではといっている人もいたが、もともとの語彙や表現力がなかったら、いくら文章を作ったとしても、それで文章力が上がるとは思えない。

編集者に話を聞いて驚いたのだが、休み前になると学校の先生から、本の問い合わせがあるという。宿題の読書感想文にどういう本を選んだらいいかという話なのだ。どういう本を読ませたいか、先生がわからないのである。

「でも、まだそういう先生はましだと思いますよ」

と編集者はいった。まあ、自分でわからないことを出版社に聞いてくるのは、熱心だともとれる。が、まず先生が真っ先に聞くのが、

「それはどのくらいの厚さですか」

だという。まずは見た感じが重要で内容ではないのである。

「あまり長いと生徒が読まないから、なるべく短いものがいいらしいんですよ」

たしかに、学生時代を考えると、まず厚さでげんなりする場合もあった。しかし実際には厚さは関係がない。興味があって面白いものはどんなに厚くても読み通せるし、そうでないものは薄くても途中で投げ出したくなる。本を読む人であれば、

そういうことはわかるはずなのだが、先生が本を読む習慣がないので、何もわかっていないのだ。

「はあ……」

私は絶句した。もちろん本好きの先生もたくさんおられるだろうし、熱心に指導している人もいるのだろうが、先生がこれではどうしようもないなあと呆然としたのである。

私が中学生の頃、先生たちはとにかく本を読めといった。数学の先生でも本をたくさん読んでいて、一人一人に、

「きみはこういう本が好きなんじゃないか」

と折を見てアドバイスしてくれた。私はその先生に森田たまの『もめん随筆』を教えていただいた。校長先生も朝礼で、ただぴーぴーと騒ぎまくる私たちを、

「吉川英治先生の『忘れ残りの記』を読んで、反省しなさい！」

と叱りつけた。小学校を中退し、いろいろな職業に就いて苦労した人の人生を知れという。たとえそのときに読まなくても、そういわれたことは頭の片隅に残っていた。しかし先生に本を読む習慣がなかったら、何のアドバイスもできず、出版社

に電話をして、

「その本はどのくらいの厚さですか？」

と聞かなくてはならない。これでは若い人が本を読まなくなるのも当たり前だろう。

あるとき電車に乗っていたら、目の前に中学生くらいの女の子と、私より若いであろう母親が立っていた。二人とも小ぎれいな格好をしている。二人の話が耳に入ってきたのを、何となしに聞いていたら、

「本って高いよね」

と女の子がいう。すると母親も、

「そうなのよ、本は高いのよ。買う気にならないわ」

といっている。私は世の中で本ほど安いものはないと思っていたので、まさに驚くしかなかったが、彼女たちはどういう理由か、本は高いと連発しながらうなずき合っている。彼女たちは紙袋を持っていたので何気なく見たら、それはユニクロの紙袋だった。私もユニクロで服を買うし、確かに安い。でもそれと本とを比べられてもねえといいたくなる。ユニクロの衣類と同じように、五百円、千円で本は買え

る。いくら縫製がよくても、衣類は一生涯着続けることはまずできない。しかし本で得た知識は一生、頭の中に残る。自分のものになるという点では、本はものすごーくお買い得な商品なのに、彼女たちの基準はそうではない。いくら本を読んでいても外からわからないし、お金をかけているかどうかもわからない。前にも書いたが、とにかく中身ではなく外見だけ重視。携帯電話の使用料は一万円、二万円と払っても、五百円の文庫本すら買おうとはしないのだ。

私は本が好きで小さいころから読み続けていたものの、本を読む子はいい子という考え方は大嫌いだった。だいたい私がいい子ではなかった。しかしなかには褒めてもらいたくて、

「私はたくさん本を読んでいます」

と妙にアピールする子もいたりして、胸くそ悪い思いをしていた。

「あんな奴とは違う」

といつも感じていた。私はいい子ぶりっこしたくて本を読んでいたのではない。面白く、楽しいから本を読んでいた。ただそれだけだった。

物書きの仕事をするようになって、雑誌でよくやる企画だが、「若い人にお薦め

の本を紹介してくれ」といわれて、最初の一、二回は引き受けたが、その後は全部断るようになった。自分が本を読みすぎて、実体験が足りなかったという後悔があったからだ。私は外に出るタイプではなく、家でこちょこちょと過ごすのが好きなタイプだった。読書、手芸などをしていたら、外に出て何かをする暇がないし、興味もなかった。しかし男の子と付き合う本を読むよりは、実際に付き合うほうがいいだろうし、旅行の本を読むよりは、実際にその場所に行ったほうがいいだろう。私にはその行動力が足りなかった。だから本を薦めるよりも、とにかく何でも体験したほうがいいのではと考えたからだった。

しかし最近は、考え方が違ってきた。今の人は経験から何も学ぼうとしない。ただ目の前を現象が通り過ぎるだけで、自分なりの考え方など何もない。両目はただ開いているだけで何も見ていない。ガイドブックで見た写真をただ確認し、免税店や有名店で買い物をすればそれで満足といった具合である。失敗して、少しは反省したかと思っても、同じ間違いを繰り返す。反省も緊張感もなく、動物のほうがよっぽど経験を活かし、反省もする。そういう頭をつかう気がない人たちに、本を読めといっても無駄だろうから、私のなかではしようがない人としてひと括りにして、静かに見捨てている。

はなから読む気がない人は別にして、少しでも興味がある人にはぜひ本を読む楽しみを知って欲しい。美容関係の三十代半ばの女性と話をしていたら、

「本を読まなくちゃいけないと、わかっているんですけどね」

という。雑誌も写真だけを見て、本文はほとんど読まない。活字の本を読まなくてはいけないと頭ではわかっているものの買うまでには至らず、学校を卒業してから全く単行本を読んだことがないというのだ。ふーんと話を聞いていたのだが、彼女は自分がカットしたヘアスタイルの様子を話したりするときに、

「えーと、えーと」

と何度もいいよどむ。表現する語彙を持っていないので、何と説明していいかわからないのだ。

あるときは毛糸店で女の子と店員さんとのやりとりを聞いていて、

「その話し方は何だ」

と怒鳴りそうになったこともあった。

「あの……毛糸」

「何を作るんですか」「マフラー」
「誰のですか」「あたしの」
「どういう感じのですか」「もこっとしたやつ」
「今まで何か編んだことはありますか」「ない」

こういうやりとりが、延々と続くのである。とにかく文章で喋れないのだ。英語が喋れない学生時代の私が、アメリカに行ったときはこんな感じだったと思うが、日本人が日本でこんな調子では呆れかえる他はない。やはり日本語をきちんと話せるようになるには、日本語の本を読まなくてはいけない。そのときは自覚がなくても、どこかに言葉はひっかかっているものだ。夏目漱石や森鷗外が教科書から消え、風潮としては国際関係の重要性から英語教育重視になっているが、日本人が日本語を喋れなくていったいどうするんだろうか。

ＮＨＫのテレビ番組で司会の女性タレントが、先輩の女性タレントの脚を褒めたときも、

「きれいなお脚で……」

などといっていた。

「そんなことをいってるということは、あんたは『おみおつけ』も知らないな」と思わずテレビの前で叫んでしまった。隣に座っていた年輩のアナウンサーも訂正しようとしない。最近はテレビで画面に何を喋っているかテロップが流れるけれども、その誤字脱字も甚だしい。後で訂正されるのは希《まれ》である。もちろん私も間違える。実は以前に、シベリアンハスキーと書くところを、アメリカンハスキーと書いてしまい、しっかりと校正者からチェックされた。これは私のボケとおっちょこちょいの結果であるが、若い人にはせめて最低限の日本語がちゃんと話せるようになってほしい。言葉は時代によって変化するとはいえ、根本的にきちんとしていないところへもってきて、変化ばかりしていたらぐちゃぐちゃになるだけではないだろうか。今の若い人に多くは望まない。せめて携帯電話の料金をちょこっとまわしてもらい、年に一冊くらいは活字の本を読んで欲しいと願うばかりである。

腹が立つ

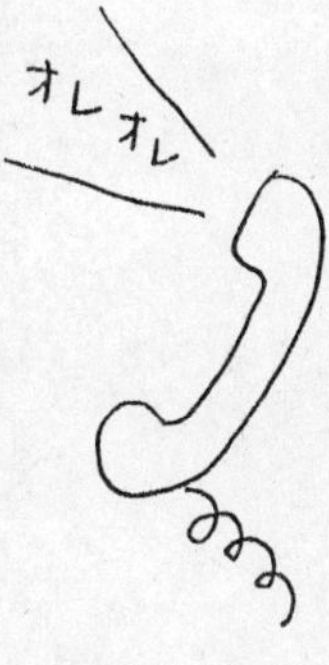

人はどんな親のところに生まれてくるかわからず、同じようにどの国に生まれるかもわからないのであるが、私は日本に生まれたことを、本当に運がよかったと考えていた。生まれたのも終戦後九年経ってからで、裕福ではないがひもじい思いはしたことがない。世界ではベトナム戦争があり、アフリカの飢餓、エイズ問題、サラエボの惨状、湾岸戦争、イラク戦争、日本でも天変地異や地下鉄サリン事件など、悲惨な事象はあったものの、頭の上で爆弾が炸裂するような日々を送ることにならずに済んでいた。これだけでも運がいいと思っていたのである。

ところが、食べるものがなく、病気や戦争で寿命が三十代で終わってしまう人々からすれば、何いってんだといわれるかもしれないが、最近、この日本という国にはうんざりしている。どうしてこんなに腹が立つことばかり起きるのかと、呆れてもいる。いちばん頭にきているのが、年金問題である。若い頃の年金への感覚は、

「若いときに払っていたら、歳をとってもらえるお金」

だった。国が管理してくれる貯金みたいな気分で、自分が高齢者の年金を支えているという意識はなかった。しかしよく考えてみると、国民が国民の老後を支えるって、国としては図々しい考え方ではないだろうか。徴収した税金の類をちゃんと無駄なく、やりくりが上手な主婦のようにうまく繰り廻して遣っていれば、年金が目減りするなんてないはずなのに、これからは年金を支給されている一部の高齢者からも、収入によって税金を徴収するのだという。そんな馬鹿げた話ってあるんだろうか。私はまだ高齢者ではないし、年金をもらうにもまだまだ間はあるけれど、理屈としてそんなこと通らない。政治家は、

「収入の多い方は、税金をお支払いいただかないと」

と平然といっていたが、思わず、

「ふざけんじゃないよ」

とつぶやいてしまった。収入が多かろうが少なかろうが、高齢者は高齢者である。ぼーっと過ごして高齢者になったわけではない。戦争も体験し、一生懸命に働いてきて、それで老後を迎えているのである。若い者からしたら、

「これからはささやかですが、収入の面では苦労させませんから、のんびり過ごしてください」

と労《ねぎら》うのが筋だろうに、その高齢者から税金をぶんどるなんて、それも当然のごとくいう神経は、全く理解できないのである。

収入の不安のある高齢者が働こうと思っても、就職先、アルバイト先など、ほとんどない。お小遣い程度の収入は得られるけれども、自分一人で生活ができるほどの収入さえも、得られる状況ではない。ドキュメンタリー番組で、七十歳を過ぎた女性が、働き口を探す姿を見て、本当に胸が痛んだ。年齢不問のところを片っ端からあたるのだが、どこからも断られる。彼女たちは、

「年齢じゃなくて、仕事の内容で見て欲しい」

と訴えるのだが、うまくいかない。体にこたえる重労働の清掃業務で、終バスに間に合うように痛い足をひきずりながら、必死にバス停まで走ったり、仕事中に目

にケガをして狭いアパートで痛い痛いといっている姿を見て、涙が出そうになった。

「ひどすぎる……」

他人事《ひとごと》とは思えなかった。それはいつ自分もそうなるかわからないという不安でもあった。

「私はあんなふうにはならないわ」

と客観的にはとても見られない。つまり住んでいる日本という国が信じられないのである。人にはそれぞれ運、不運があり、いろいろな人生があるけれど、弱い立場の高齢者がこんな思いをしなければならないなんて、国のシステムとして変としかいいようがないのだ。

だいたい、国民から金をぶんどる前に、政治家や役人の奴等の無駄遣いを洗い出すべきなのだ。外務省のおやじが愛人にマンションを買い与え、競走馬まで購入していた事件もあった。かつらを作ったのではという噂の代議士もいた。先日も海外視察といって、ホテルに女性を連れ込んだ県議もいた。これだってマスコミのスクープがなかったら、ないことにされて、五百何十万円かの税金が、奴等のお遊びのために遣われたはずだった。役所すべての経費の無駄遣い、意味もない道路工事、立派すぎる庁舎、予算を遣い切らないと翌年に減らされるから、余らせないように出張と称して遊びに行く公務員。それがなかったら、どれだけ税金の節約になるだろう。それも今の国民が多少、賢くなって、文句をいったり、公費の無駄遣いをチェックするための情報開示（しかしすべてオープンではなく、まずいところは戦時下のように黒く塗られたりしていることもあるらしい）や、納得できないことに食い下がったり、内部告発もあったりして表面に出るようになってきたものの、あっちこっちでずるいことがたくさんやられていると思う。今でさえこういう有様なのに、国民がおとなしくしていたこれまでは、どれだけひどいことがやられていたのかと想像すると、そら恐ろしくなる。ものすごい金額が国民のために遣われず、私腹を肥やすためにこそこそっと遣われていたのに違いない。国民から徴収したお金を、将来の展望もろくに考えず、自分たちの都合のいいように遣ったあげく、いざ足りなくなったら、

「ちょうだい」

と手を伸ばす。自分たちの行動を反省することなく、要求ばかりしてまるで穀潰しではないだろうか。

それに取りやすいところから取るという根性が気にくわない。人のいい人間がどんどん損をするしくみである。高齢者から税金を取るというのだったら、まず働いていながら税金を払わない、図々しい人間から徴収するべきではないだろうか。サラリーマンはともかく、自営業者やフリーランスの人間は、資金繰りが思い通りにいかず、期限までに支払えないこともある。私もそういう時期が何年かあった。税理士さんと一緒に税務署と話し合い、この時期ならば払えるという話をしたにもかかわらず、平気で差し押さえの書類を送ってくる。激怒してどういうことなのかと問い詰めると、

「期限までに支払わない人には、機械的に送られるものなので」

という返事で呆れた。こちらが誠意を見せて出向いていき、話もつけているというのに、差し押さえの書類を送付する名簿からはずすという仕事すらしないのである。払った税金がちゃんと遣われ、国民生活に反映されれば、多少高くても払おうという気になるが、現状はそうではないから腹が立っている。でも義務を遂行しないで、税金滞納を屁とも思っていない人に対しても同じように腹が立つ。現役で働いているのに、払えるのに払わない人もずるい。ギャンブルに何千万もつぎこみな

がら、平気で税金を踏み倒している人。払う払うといいながら、のらりくらりと先延ばしにして、豪勢な海外旅行なんかしている人。こういった輩に対して厳しい措置もとらず、

「この人は払ってくれそうだから」

と安直に流れるやり方が、気にいらないのだ。屁理屈をこねまわして少しでも「おみやげ」を持っていこうとする態度も嫌だ。私が滞納したときの担当の税務署員の感じは悪くはなかったし、以前に比べて親切な応対をしてくれる公務員の人も多いのはたしかだが、国の機関の体質や考え方が、根本的に間違っているのではないかと思う。

国の年金があてにできないから、高齢者は自己資金を貯めるしかない。しかしその虎の子を、狙う奴等がたくさんいる。押し込み強盗や「オレオレ詐欺」など、高齢者がのんびりと過ごす日々なんて、ないのだ。実はうちにも「オレオレ詐欺」らしき電話がかかってきたことがある。それは仕事などでは公にしていない電話にかかってきた。夜、七時くらいだったが、電話に出ると、

「おれだよ、おれ」

という。うちにはそういって電話をかけてくる男性などいないので、

「はあ?」

と聞き返した。

「おれ、おれだ」

若い男が苛立ったように何度も繰り返すが、全然、心当たりがない。

「はあ?」

しばらくして電話は切れた。私は仕事に使う電話のほかに、実家用の電話を設置している。母親は元気だが、やはりいつ何時、何があるかわからないので、仕事の電話にはある時間以降は出ないこともあるが、この電話にかかってきたときは必ず出る。電話番号を知っているのは、実家と税理士のみ。税金の申告の書類にはこの番号が書かれている。何年か前、望んでもいない高額納税者リストに勝手に名前が載せられてから、本当に迷惑している。マンション、別荘地などの不動産、国産松茸、カニ、金製品、投資などのダイレクトメールが送りつけられ、不動産、ハウスクリーニングの勧誘電話が週に一度はかかってくるようになった。そのようなダイレクトメールは、宛名が本名のカタカナ書きになっているのでわかる。勝手に住所

と名前などを記載した、納税者名簿も販売されているようだが、プライバシーの侵害ではないかといいたくなる。

もしも私が高齢者で孫がいて、「オレオレ詐欺」に引っかかったとしたら、どう責任をとってくれるのだろうか。もしそうなったとしても、漏れた情報については責任をとらず、引っかかったあんたが悪いということになるのだろう。「オレオレ詐欺」に引っかかった人は、いったいどこから電話番号が漏れたか、調べたほうがいい。うちにかかってきた電話も、相手が電話番号の出所などいわないから、推測の域を出ないのだが、どうしても納税者関係の書類から漏れたとしか思えない。納税額なんて人の懐をさぐるようなもので、それを本人の許可もとらずに公開するのは失礼だ。なかには名前が出るのを喜ぶ人もいるだろうから、そういう人のものは公開して、拒否した人は公表しない。暫定的なものでもかまわないではないか。それくらいの配慮があってしかるべきなのに、ある金額以上を納税した者の名簿を公表するのは、これだけ払っている人がいるから、きみたちも頑張って払いなさいという意味があるらしい。ばかばかしいことこの上ない。私だったらがんばって払おうというよりも、

「これだけ払う人がいるんだから、自分はいいや」

と納税意欲はなくなる。考え方がことごとくずれているのだ。

年金問題、税金に関するもろもろの取り扱い方、考えれば考えるほど腹が立ってくるばかりだ。生まれてから今まで戦争にも巻き込まれず、いちおう平和な国に生まれてよかったと思っていたが、今、そしてこれから先の状況を考えると、とってても気分は暗い。これから歳をとるにつれて、穏やかな明るい未来が待っていると気分が明るくなる国民なんて、一人もいないだろう。その一方で、長寿をめざせなんて、ふざけるのもいい加減にしろといいたくなる。長寿の人がみな幸せになれる国の体制を作ってからにしてもらいたい。日本では長生きすればするほど、これからは不幸になるような気がしてならない。高齢者にも年金を負担してもらうのは当然という政治家の顔を見ると、思わず、

「長生きなんかしたくねえぞーっ」

と怒鳴りたくなってしまうのである。

イモを洗うサル

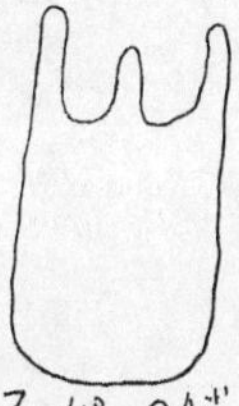

スーパーの袋

先日、地下鉄の駅を降り、改札口に行くために上りのエスカレーターに乗っていたときのことだ。前を向いて乗っていたら、突然、後ろから押されて、つんのめりそうになった。前にはおばあさんがいたから、太い脚をふんばってすんでのところで事なきを得たが、びっくりして後ろを振り返ると、小学校四年生くらいの男の子が立っていた。下の段にいた母親を振り向いて、

「あぶないじゃないか」

といった。押された彼の体が私にぶつかったのである。すると母親は、

「え？　びっくりした？　やったーっ」

とげらげら笑っている。

(何なんだ、この母親は)

呆れかえって首を曲げてにらみつけてやったものの、当人はとっても楽しそうに笑っている。

だいたい、私が子供のときには、階段やエスカレーターなどでふざけてはいけないと、親や先生からきつくいわれていた。それが、エスカレーターに乗っている子供を突き飛ばすなんて、いったいどういう神経なんだろうか。おまけに前には人が後ろ向きで立っているのだ。男の子の前に立っていたのが、私だったから、身体が壁となって前にいたおばあさんには被害が及ばなかった。これが年輩者やかぼそい女性だったら、将棋倒しになったかもしれないではないか。背後では、男の子がぶつぶつ文句をいっていたが、母親はあやまる気配など全くなく、鼻歌を歌っている。彼女は四十歳前後と思われたが、

(こんな馬鹿な人間が母親になっているなんて)

とむかついて仕方がなかった。

改札口に近づくと、母親は周囲の人々に肩から下げた荷物をぶつけまくりながら、

大股で改札口に急いでいる。ぶつかりそうだから、荷物を引くとか譲るとか、そういう感覚が全くみられないのだ。

（本当にこいつはしょうがない人間なんだな）

と呆れていると、後からやってきた男の子と私が同時に改札口に手を伸ばした。母親はすでに改札口を出ているし、先に行かせようと立ち止まると、彼はそこで「気をつけ」の姿勢になり、

「すみませんでした。どうぞ」

と一礼したのである。一瞬、びっくりして息をのんだが、

「どうもありがとう」

と御礼をいって、先に通らせてもらった。

（あの母親から、なぜこのような麗しい子が……）

父親がとてつもなくすばらしい人か、男の子がきちんと見る目を持っていて、母親を反面教師として日常生活で学んでいるか、とにかく男の子は、母親の何百倍も立派な子なのであった。

どういうわけなのかわからないが、頭が先にまわらないというか、自分で何も考

えない人がどんなに多いか、あきれることばかり起きる。今は買い物に行くときに、自分の買い物バッグを持っていく人も増えたが、そのときの店員の対応が、理解できない。セルフサービスの店は、買った物を自分で中にいれるからいいけれども、そうでない袋詰め係がいるシステムのときの態度が納得できないのである。

たとえば買い物をして、レジに持っていき、

「袋はいりません」

といいながら、チェックを受けた商品を自分のバッグに入れる。そのとき、袋詰め担当の店員に、

「袋にお入れしましょうか」

と声をかけられたことが一度もない。袋詰め担当がどうしているかというと、ぼーっとそこに立っているだけである。こっちは買った量が多いと、バッグに入れるのが間に合わず、

「○○円です」

と宣言される。後ろに人が並んでいると、袋詰め担当は、

「お次のお客様どうぞ」

と次の人に声をかけ、精算がはじまる。こっちはバッグに入れるのと、支払いとを全部一人でしなくてはならず、大慌てである。なかにはもたもたしているというつくのか、レジ係が舌打ちをしたり、ため息をつくのが耳に入る。そうでなくてもじーっと横目で見ている視線を感じたりする。

(何であんたにそんな態度を取られなくちゃいけないのよ)

と思いながらも、おばちゃんになって乾燥が激しくなり、動きも鈍くなった指は、一円玉をうまくつまむことができず、あせればあせるほど、財布の中の小銭が逃げていく。

(くくーっ、よりによって、こんなときに。くやしーいっ。あんただって今は若いけど、私くらいの歳になったら、こんなふうになるのよ)

と心の中で叫びながら、やっとの思いでお金を出すと、

あー、はいはい、ずいぶん、遅かったわねえといいたげな表情で、

「三十円のお返しです」

とそっけなくおつりをよこし、ありがとうございましたもいわない。そして店を出たとたん、

（何で私がこんな目に）

と情けないやら腹が立つやら、やり場のない怒りが渦巻くのであった。

あるとき、私の前に並んだ身ぎれいな老婦人が、商品のチェックが終わり、支払いをするというときに、

「袋はありますから、結構よ」

といった。するとたまたま一人だったレジ係の若い女性店員が、

「お願いします」

といって、レジの横に並んでいる商品を、ずずーっと両手で老婦人のほうに押しやった。そして、

「次のお客様」

と私に声をかけた。そのとたん、老婦人の顔が変わり、目の前に寄せ集められた品物をものすごい勢いで片手で押し返し、

「全部、そちらの袋に入れてちょうだい！」

と怒鳴りつけた。

「はあ……」

店員はぽかんと棒立ちになっている。私は後ろで待ちながら、

（そりゃあ、怒りたくもなるわなあ）

とつぶやいた。

「そちらの袋に入れて！」

店員はわけがわからない表情のまま、商品を店のレジ袋に入れて、老婦人に渡した。後姿の彼女の両肩あたりからは、線香花火の火花みたいに、

「ぷんっ、ぷんっ」

という文字が、ばちばちと音をたてているかのようだった。彼女が怒った理由を教えてあげようかなと思ったが、ま、頭がついているんだから自分で考えればいいやと、黙っていた。

だいたい私は意地が悪いので、よっぽどじゃないと目の前で文句をいわない。その人の行動を見て、

（こいつ、馬鹿だなあ）とか（気が利かないなあ）とか、（いつになったら気がつくのかなあ）などと冷ややかな目で観察している。目の前で怒りを爆発させた老婦人より、性格的には始末が悪いと自覚している。だいたい、客に、

「この袋に入れてください」

といわれるまで何もできない店員なんて、店員失格である。いわれる前に自分で仕事を見つけてやれと、学生時代にアルバイトをしたときも、就職したときもいわれたもんである。ところが今は目の前で客が買い物バッグに商品を入れていても、

「お入れしましょうか」

のひとこともなく、ぼーっと突っ立って見ている。本当におばかさんである。頭の中には何の歯車も動いていないのであろう。その店は店長の女性からして、そういう態度だったから、推してしるべしなのであった。

しばらくその店に行くのをやめにしていたが、どうしてもそこにしか置いてない商品を買う必要が出てきたので、やむなく足を運んだ。今の世の中、いちいち腹を立てていると、こっちの具合が悪くなりそうなので、ここは「おばかさんの店」なのだとほぼあきらめ、目に余ったときはひとこというつもりでいた。その日、袋詰め担当だったのは、大学生らしきアルバイトの、小柄で眼鏡をかけた青年だった。いつものように期待しないでレジに持っていき、

「袋はいりません」

と自分のバッグを出したら、その青年が、

「僕がお入れしてもよろしいですか」

と手を伸ばしてバッグを受け取り、丁寧に商品を入れてくれたのである。私は、

（坊っちゃん、偉いっ！）

と腹の中で拍手しながら、

「どうもありがとう。お願いします」

と御礼をいって入れてもらった。当たり前でも、最近ではこういう人が一人でもいると、ものすごく感動するようになってしまった。

（坊っちゃん、いつまでもその気持ちを忘れないでねーっ）

そんなことをされても迷惑だろうが、彼に向かって手を振りたかった。彼の就職活動の折りには、気配りのできる好青年であると、一筆推薦文を書いてあげてもいいわとすら思ったのである。

ところが、またひと月ほどたってその店にいったら、青年の姿は見えなかったが、何と、レジにいる店員たちが、客が自分のバッグを持ってきたのを見て、

「お入れしましょうか」

と声をかけるようになっていた。「おばかさんの店」から抜け出たのである。群のサルの一匹がイモを洗う行動をとると、他の猿たちに伝播して、同じようにイモを洗う行動が見られると聞いたが、サルのイモ洗いと同じように、商品のバッグ詰めもその店で伝播していったのである。長い道のりであったが、何とかまともな店になってきたのでほっとした。

店員たちも、意地悪でぼーっと突っ立っていたわけではなかろう。相手の立場に立って物が考えられない、いわれたことしかやれない頭しか持っていなかったのだ。そこで青年の姿を見て悔い改めたか、めっちゃくちゃ偉い人に叱られたか、とにかくやっとこさ気がついた。それがわかっただけでもよしとしなくてはなるまい。若い人に限らず、子供がいるような人でも、とんでもない行動をとる人がいる。それをなんとか修正していくのは、同年輩の若い人であり、親の悪いところを受け継がなかった子供である。若い奴なんかどうでもいいやと思っていたけれど、何だかんだいっても、若い人にしゃんとしてもらわなくてはいけないのだろう。まともな感覚の人はそのうち千人のうちの五、六人になってしまうかもしれないけれども、おばちゃんである私は、生きているうちはその少数に期待するしかない。死んじゃった後は関係ないけど。悪いところは見習わないで、模範となるべき、イモを洗うサルが増えてくれるようにと、おばちゃんは願うばかりなのである。

あんたの都合には合わせない

パソコンを使うようになってずいぶん経つので、インターネットなどをしない同年輩の友人に、

「詳しいのね」

などといわれるが、実のところパソコンのしくみなど、全くわかっていない。最初のころは、ワープロよりもパソコンのワープロソフトで原稿を書いたほうが、はるかに能率がいいので、よく働くワープロのつもりで使っていたが、あれこれ機能があるとわかると、使いたくなってきた。うちにパソコンにとても詳しい人がやってきて、隣でぼーっと座っているうちに、てきぱきと使えるようにしてくれた。動

かなくなったときも連絡するとすぐ来てくれて、魔法のように直してくれたりしたので、私はその人にすべてをおまかせしていたのであった。

その当時はインターネットという言葉も知らなかったし、画像がない文字だけのパソコン通信（と書いたがそれでいいのかもわかっていない）だけしかしていなかった。それで見ていたのは、今週の占いや新聞記事、図書館の蔵書の検索などで、もちろんカラーの画像など見たことがなかった。

当時のパソコンはやたらとフリーズしまくっていたので、といちおうは書いているが、フリーズという言葉すら当時は知らず、ただ、

「壊れた、壊れた」

と騒いでいた。機能的にワープロ専用機には戻れず、もうちょっと何とかわかりやすくならんかいなと思いつつも、パソコンを使い続けていた。それからパソコンにもいろいろな機種が出るようになり、使い始めた当初に比べて、操作も楽でコンパクトなものが登場してきた。あまりに使いにくいので二台目に買い換えた。それでもインターネットには接続せずに、最初に覚えたパソコン通信を使い続けていた。それパソコンで原稿を送るなどということはせず、プリントアウトしたものを、ファク

スで送るという方式で、本当にワープロ程度の機能しか使っていなかったのである。

あるときプリントアウトしなくても、パソコンの画面から直接ファクスで送れるという話を聞いて、びっくり仰天した。担当編集者がやってきて、

「こういうふうにすればいいんです」

と実演してみせてくれた。

「はあ、ほお」

私は感心して手順を紙に書きとめた。それをパソコンの横に貼って確認したりしながら、

「何とすごいことか」

と驚いていた。しかしまだその後も、インターネットでネットサーフィンをすることもせず、メールも使っていなかった。原稿を書いてファクス送信機能で送り、たまに図書館の検索をする、ちまちました使い方しかしていなかったのである。

ところがパソコンを使っていると話すと、編集者から原稿をメールで送ってくれると助かるといわれるようになった。ところが何をどうすればいいのかわからない。首をかしげながらパソコン通信でのメール関係と思われる部分をクリックすると、

原稿は無事に先方に到着しているようになった。

「そうか、これでいいのか」

と、何年もそのままの方式を使っていたのだが、無知は無知なりに、

「何となくおかしいな」

と勘づいた。知識は全くないけれども、動物的なカンだけは働くのである。

「うちのパソコンにある、封筒の絵がついた印はなあに?」

とやっと気付いたのである。パソコンを買って起動すると、最初からデスクトップにはこの封筒のマークがあった。いちおう先方には原稿が届いているが、画面にこのマークがあるのは、これを使えということではないか。なのになぜこの封筒マークをクリックする作業なくして、原稿を送信できているのか。

「うーむ、謎だ」

パソコンに詳しい人からすれば、なーにいってんだかという話なのだろうが、無知な私にとってはすべてが不思議な出来事なのである。原稿を送るのに使っている画面は、とっても地味で色合いなどほとんどない。愛想も何もない画面である。

「私がやっていたのはとっても古い方式らしい」

結論はこれしかなかった。編集者と話をしていたとき、添付ファイルがどうのこうのといっていたが、そんなもん、全く知らなかった。もしかしたら私の古い方式でもできたのだろうが、やってみたことはない。結果的には原稿が送れればいいのではあるが、旧式なために先方の作業に差し障りがあったらいけない。デスクトップには封筒のマークもあることだし、ここはマニュアルでも読んでみるかと、本棚の隅に突っ込んでおいたパソコンのマニュアルを取り出した。

私はマニュアルを読むのが大嫌いで、電気機器を買うと、

「こんなもんか」

と適当にいじって動くのを確認すると、それですませてしまう。だから新しく買ったパソコンに関しても、マニュアルなどほとんど読まなかった。「インターネット、らくらくスタートガイド」という薄いマニュアルを開くと、細かく手順を追って解説してあり、私のような無知でも簡単にメールの設定ができた。文字でPOPサーバー名と書かれてあると、

「そんなもん、知らんわい」

と放り投げたくなるが、画面の絵に沿ってやっていけば、ちょちょいのちょいな

のである。メールの画面を開くと、今までとはどこか違う、高尚な雰囲気が漂っていた。

「そうよ、これが本当のメール機能だわ。前のはどことなくださかったもん」

添付ファイルも何であるか、はじめて認識した。といっても添付の仕方がわからなかったので、あわてて調べて納得する始末だった。

インターネットのメールをクリアして、私の新たなパソコン時代がはじまった。ところがこれが、ものすごく面倒くさい。巷でコンピュータウィルスがどうのこうのといっていても、自分には関係ないと思っていた。ただ原稿を書いて送るだけだからと、ワクチンソフトも導入しなかった。ところが、ネットサーフィンなどしない私にも、ウィルスが忍び寄ってきていたのである。日本で絶版になってしまったどうしても欲しい絵本があり、アメリカの書店にインターネットで注文したのが大きな間違いだった。英語ができないから、辞書や海外通販の方法という本を傍らに置き、必死になってメールを打って、幸いにも絵本は手元に届いた。ところがその直後、パソコンがおかしくなった。妙なタイトルのメールが続々と送られてくる。あわててワクチンソフトを買いに行き、インストールしてウィルス対策をした。

「これで安心」

と使っていたら、仕事をしている画面の隅に、ひょこひょこっと四角が出てきて、

「アップデートをしましょう」

と訴える。一度、ワクチンソフトを導入すれば、ほっといてもウィルスに対処してくれるもんだと思っていたから、

「なんだ、うるさいぞ」

という気分であった。

「天然痘のワクチンみたいに、一度やったら大丈夫なんじゃないのか」

ぶつぶつぶつつぶやきながら、そのつどアップデートをする。最初は二週間に一度くらいで済んでいたのに、それが十日に一度、一週間に一度になり、ひどいときなど一日おきに四角が出てきて、

「アップデートしないと、あぶないっすよ」

と訴える。ウィルス感染を考えると、どうしてもアップデートをする必要はあり、

「あーあ、パソコンを使ってなければ、こんなことにならないのになあ」

とうんざりするのだ。

こんな具合にやっとこさ、パソコンを使っているというのに、一年ほど前からADSLがどうのこうのと、NTTや私の使っているプロバイダから資料が送られてくるようになった。メールも送信されてきていたが、すべて未開封のまま削除していた。ブロードバンドもモバイルもADSLも、いったいどういう意味なのか、ちんぷんかんぷんである。今のところ何も問題もなく使っているので、また新しいものに関わってわからなくなるのがいやなのだ。だいたい、こちらが新しいシステムを導入しなくても、それでなくてもプロバイダが勝手にアクセスポイントやシステムを変更したりするので、それに合わせてこちらの設定も変えなくてはならない。

「どうしてあんたんとこに合わせなくちゃならないんだ」

と腹立たしいが、接続できないことには話にならないので、泣く泣く従っている状態なのである。

ADSLについては無視し続けていたら、NTTから二度電話がかかってきて勧められたが断った。するとセールスの人が家にまでやってきた。マンションの玄関先でお断りしたが、それでもダイレクトメールは送られてくる。中を読む気もないから、片っ端からゴミ箱行きである。難しいことはわからん。とにかく現状維持で不都合はないのだから今のままでいい。それを向こうはわかってくれない。あるときからぱたっとダイレクトメールが来なくなり、とうとうあきらめたとほっとしていたら、

「ADSLについてのご案内は見ていただけましたでしょうか」

ととても明るい声の若い女性から電話がかかってきた。

「見てません」

「あ、あの、立ち上げが遅いとか、ご不満はありませんか」

「ありません」

「た、ただいまサービス期間で無料でお使いいただけるんですが」

別方向から攻めてきた。

「必要ないです」

せっかく電話をかけたのに、彼女はがっくりしたことだろう。それでも健気に、

「何かありましたら、よろしくお願いいたしまーす」

と元気にいって電話を切った。

パソコンを使っている限り、アップデートやらバージョンアップはついてまわる。

そのたびにうんざりしている。最新の状態にしておくのがいちばん効率がいいのはわかるが、どうしてこっちが企業の都合に合わせなくちゃならないのか納得できない。利用者の利便性を考えてといかにも親切そうにいうかもしれないが、新システムを導入しなくても、相当便利に使っている。企業の都合に合わせないのが原因でメールが使えなくなったりするのであれば、もうワープロ以外の機能でパソコンは使わない。私には現状が限界である。だいたいついこの間まで、メールで原稿を送るなんていうシステムはなかったのだ。ファクスで原稿を送っても、ちゃんと雑誌に原稿は掲載されていた。あまり先方の都合に合わせて、こっちがあたふたするのは考えものだと、私は思うのである。

麻痺していく

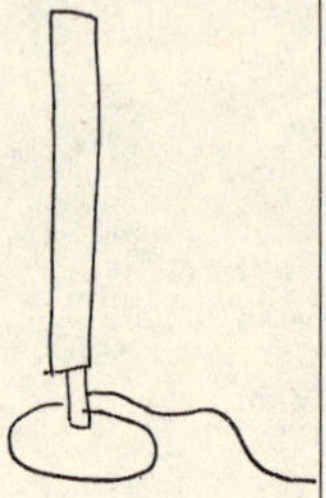

私は仕事をするときに、必ずテレビをつけていた。ラジオにしたこともあるが、テレビとラジオを比べると、音に関していえばラジオのほうがはるかに耳に障る。少しでも空白の時間があると放送事故になってしまうからか、とにかく喋りっぱなしだからだ。声には好き嫌いがあって、嫌いな声の人が喋っているとうんざりしてくるので、ラジオからまたテレビに戻ってしまった。こういう状態はいけないなあと思っているときに、十五年間使っていたテレビが壊れた。テレビを家から排除した人の話を聞くと、壊れたのがきっかけでそのままというのが多い。私も今までふんぎりがつかなかったのを、ここがチャンスとテレビなしの生活に入ろうかと考え

たのである。

一日目は何ともなかった。二日目も平気だった。ところが三日目に入ると、番組は見たくないけれど、家にあるビデオやDVDはどうなるのかと気になりはじめた。今は廃番になってしまった昔の松竹映画のビデオや、武原はんの地唄舞のビデオなども、ディスプレイがないと見られない。友だちの家にいけば見せてもらえるが、それも図々しいし、見たいときに見られないのは、ちと辛い。いったいどうしようかと悩んだ結果、買い換えることにした。ただしこれまでの21インチよりも小さなサイズにしようと、それだけは固く心に決めた。量販店に行ってみると、陳列してある薄型の液晶テレビは、薄いかわりに画面がどーんと大型だ。まるで大きなパネルのようである。とにかく21インチよりも小さなサイズをと探していると、液晶テレビコーナーの隅っこにひっそりと棲息していた、17インチのものに目がとまった。実際のサイズよりは画面が大きく見えるし、とにかく薄型で軽いのがいい。これから歳をとる一方なのに、自分の力で移動できないものは、なるたけ持ちたくないのと、大きな画面で見る必要があるテレビ番組などほとんどないからである。好きな番組や映画などは大きい画面のほうがうれしいから、そういうときは画面ににじり寄ればいいというわけだ。

設置するとすっきりして、いい具合である。テレビが届いた当日に地震があって、テレビがばたばたと前後に揺れたのを見たときには、ちょっと驚いたが、圧迫感がないのは何よりであった。ところがDVDレコーダーと再生専用のビデオデッキを接続しようとしたら、接続できる穴が足りない。テレビ画面が37だの42だのと大型化しているなか、この画面の大きさは、今やメインで見るためではなく、ゲーム用のものだったらしい。私はDVDとビデオのジャックを両手に持って、なんとか一度に全部、接続できないかと試みたが、どう考えても六本のジャックに五個の穴ではどうしようもないのであきらめた。ふだんはDVDにつなぎ、ビデオを見たいときにはジャックを抜いて、ビデオのほうを接続し直すという作業をしなくてはならないのだ。

本来はビデオやDVDを見るディスプレイの用途にだけ使うつもりだったのに、DVDレコーダーで接続した時点でテレビの番組も見られるようになる。友だちと、

「本当に見たい番組はないよね」

と話したことがあるが、私はドラマは見ないけれども、スポーツ中継や、唯一、

駄ネコが出る「ペット百科」だけは楽しみにしている。この番組は以前は毎日放送されていたのが、いつしか私にとっては面白くも何ともない、子育て番組に取って代わられた。

「ペット百科がない！」

ネコ好きの友だちに訴えて、二人でぷりぷり怒ったりもした。今では、毎週月曜日、週一回だけの放送になってしまった。たった五分の番組だが、この番組がなくなったら、私にとって本当にテレビ番組は、スポーツ中継以外、見る価値のないものばかりになる。あれこれ考えているうちに、テレビはディスプレイとして使うという決心はあっという間に消え失せ、前と同じように仕事をしながらテレビをつける日々に戻ってしまった。全くこらえ性のない性格と、我ながら情けなくてしょうがないのである。

テレビを聞きながら、興味のある情報が耳に入るとちらりと画面に目をやる。ふだんつけっぱなしにしているのは、NHK衛星第一放送である。CSなんとかとか、スカパーといった類には契約していないので、ごく普通に見られるものしか見られない。日中は世界各国のニュースが主に放送されている。不穏な状況を反映して、暗いニュースばかりである。テロ、暴動、天変地異、汚職、殺人など、どこの国も同じで楽しくなるニュースなど全くないといっていい。だいたいニュースの九〇パーセントはよくない話ばかりである。

何かの本で、ニュースを習慣として見続けていると、知らず知らずのうちに不安感がインプットされてしまって、精神衛生上よくないと読んだ覚えがある。たしかに毎日、暗いニュースばかりだと、無意識のうちに暗い気分が植えつけられてしまうのは間違いない。

地上波では「ペット百科」以外、通常の番組で心待ちにしている番組はない。番組はまだ選べるけれども、コマーシャルはそうはいかない。コマーシャルが嫌ならNHKにすればといわれるかもしれないが、NHKでもニュース以外はほとんど見ない。どうして受信料まで払って、アナウンサーのくそ面白くもないおやじギャグや、駄洒落を聞かされなきゃならないのか。ひどいときはそのおやじアナウンサーが泣いたりする。おやじギャグを放送したり、泣き顔が画面に映ったときは、罰金として受信料の一部を返還してもらいたいくらいだ。いっそのことNHKの番組全部を、加賀美幸子アワーにしてくれないかと願うばかりだ。

コマーシャルもテレビ番組も、いつの時代でも問題があるものが出てくるのは仕方ないが、最近は作り手の感覚がおかしくなっているのではないかと、あきれたくなるものが多い。現在は見かけなくなったけれども、ついこの間まで、洗剤のＣＭが気に入らなかった。古い寺か神社の回廊を、子供たちがつつーっとすべっていき、その汚れたソックスを洗剤で洗うと、あーら、真っ白という内容だったが、してはいけないことを子供にさせる演出の神経がわからない。走り回る場所がただの家ではなくて寺や神社なのである。靴下が汚れるのを強調したいんだったら、他の演出方法が山のようにあるのではないかと思うのだが。そのうちクレームがついたのか、こんなことはしないようにというようなニュアンスの但し書きが画面の下に出るようになったが、そんなものをつけるくらいなら、最初っから作らなければいいのだ。

保険会社のＣＭでも、出てくるアヒルちゃんはかわいくて大好きだけど、子供に、

「よーく考えよう、お金は大事だよ」

と歌わせる神経も理解できない。そんなお金だの何だのということに、子供を使うなといいたくなる。

トイレの簡単お掃除シートのＣＭでも、お父さんや子供が便器の外に粗相した跡

を、お母さんがお掃除が簡単と拭いてみせる。お母さんの背後で彼らはすまなそうな態度はみせているものの、

「簡単で楽ならどうして、汚した張本人のお父さんや子供にやらせない。どうしていつまでたっても、掃除をするのはお母さんだけなんだ。このＣＭを作ったのは、アホな男に違いない」

と私はテレビの前で怒る。あまりに真剣に怒ると、

「あれ、次に何を書こうとしてたんだっけ」

と原稿書きに支障が起きる。

「ああ、また、怒ってしまった……」

髪の毛をかきむしって後悔するのだが、おばちゃんの性《さが》か、もともとの性格か、許せないものを見ると怒らずにはいられないのだ。

怒るような内容ならまだしも、びっくりしすぎて声が出ないというときもある。それは通販のコマーシャルだった。おばちゃんが裸足の足をじっと見ながら、足の爪がくいこんでいるので、爪切りではうまく切れないと悩んでいる。そこで登場するのが、トラブルがある爪でもちゃんと切れる爪切りである。ふーんと思いながら

見ていたら、画面はとんでもないものを映し出した。何と、手入れもろくにされていない、普通の中高年のあちこちが白くかさついているつま先が大アップになり、このように爪が切れるとデモンストレーションしているのだ。

「げええ」

私はびっくりして固まった。谷崎潤一郎が見ていたら、即死したと思う。手入れが行き届いたつま先だったらそれなりに見ただろう。ペディキュアなんかしなくても、手入れがしてある爪はそれなりに見るに堪えるものだ。しかし映っているのは、自分とよく似た中高年のかさついたつま先だ。美しくも何ともない。スーパーリアリズムの極致なのだった。

自分の足を見てつくづく感じるが、とても裸足は人目にさらせるものではない。夏場、浴衣を着る季節を前にすると余計に気になり、かかとの角質などを全部は取り除けないけれども、少しはましになるように手入れをする。それでも自信がなくて、うつむきかげんである。人の目がつま先やかかとのすぐそばになくても、ある年齢以上になると、裸足を見せるのは躊躇するものだ。それなのにこのCMは大アップ。なーんにもかまわないおばちゃんがやってきて、

「ほらよ」

と顔の前におもむろに靴下を脱いだ足を突きだされたような感じなのだ。水虫薬のコマーシャルでも、見ていられるものと見ていられないものがある。本当に効きそうだと思わせるのは、見ていられないような映像のほうなのだろうが、汚らしいと感じるものはいやだ。こういうことは常識などという以前の問題で、人の根本的な神経の問題である。これを撮影して放送したということは、事前にチェックをした人々が、ＯＫを出したからだ。それは顔の前にきれいでもない裸足を突き出されても、平気な人たちである。おばちゃんの足が好きな、足フェチが揃っていたのだろうか。

出版社が好意で、テレビの週刊番組表の雑誌を送ってくれているが、番宣の惹句を眺めているとため息が出てくる。禁断映像、発砲、衝突、飛び降り……。「決定的瞬間もろ見え」なんだそうである。みんなそんな映像を見たいと思っているのだろうか。最後に書いてあった、「犬も鳥も大騒ぎ　面白動物大集合」には心ひかれたが、我慢して見なかった。大画面テレビの売り上げが順調だと聞くが、そういう大画面でかさついた裸足や、衝突や、飛び降りの衝撃映像を見ている人々は、どういう気持ちなんだろうか。もしかしたら実寸以上の大きさで、目の前に足が突き出されているのではないか。最初はぎょっとしても、そのうち慣らされてしまって、自覚がないままに神経が麻痺していくような気がする。過敏なのも問題だが麻痺するのも問題だ。こうなると番組やＣＭの改善うんぬんというよりも、自分がどうするかだ。この有様ではテレビはディスプレイのみに使用するという、自分の意思を強固に保ち続けるほうが簡単かもしれないと思う、今日この頃なのである。

「負け犬」頼み

近所に住む女友だち二人と私とで、老後は三人で長屋生活をしようかと計画している。おかずをもらったり、到来物のお裾分《すそわ》けをしたり、具合の悪いときは買い物をしてあげたり、りんごのすりおろしを持っていったりと、大変なときは相互扶助をする、互助会みたいな仲である。いちおう老後もそういった生活が継続できるようにと計画はしているけれど、私たちは仕事はきちんとするけれども、他の部分ではとってもゆるーい性格なので、ちゃんちゃんと一から計画をたてているわけではない。金銭的な問題も、住む場所の問題も、全く具体的になっていない。顔を合わせると、

「ねえ、どうする」

とはいうものの、話しているうちにどんどん別の話題に移っていき、気が付くと、下らない話に、

「どはは——」

と大笑いをしている。そして家に帰ってきて、結局は老後の計画について、何《なん》にも進展しなかったと気付くのである。恐ろしいことにこんなことをもう五年も続けているのだ。

まだ三人とも現役で仕事をしているし、切羽詰まっていないということもあるが、私より三歳年上の五十三歳のAさんは、会うたびに、

「もう仕事は飽きた。いい加減やめたい」

という。彼女は更年期障害にも悩まされていて、体調もよろしくないのである。

五十二歳のBさんも、

「何だかねえ。もういいかねえ」

といい、私は私で、

「とにかく早く実家のローンを払い終わりたい！　あれが無くならなければ、私の

自由も老後もないのよーっ」

といつも同じ事ばかりをいっている。三人に共通しているのは、早く隠居したいという気持ちなのである。

ところがそうはいかない。特に私には先立つものがないのである。ゆるい三人のなかではAさんが、いちばん熱心で、いっとき、

「長屋を建てる」

と張り切っていた。

「はあ」

「なんで」

Bさんと私は半分呆《あき》れて聞いていた。

「だって趣味の合わない家に住みたくないんだもん」

とにかく彼女は美意識が高いのである。

「私はよっぽどじゃなければ平気だなあ。新建材で具合が悪くなるっていうのはいやだけど」

「そうねえ、特別ねえ」

私もBさんもいまひとつ建てるのにはノリが悪い。

「でも私たちが気に入る建物ってないと思う」

「私たちじゃなくて、私でしょ。自分のものにしたいわけじゃないし、借家でいいじゃないの。同じマンションの中で、空いている三部屋を借りたっていいんだから」

「できれば昔ながらの木でできた家がいいのよ」

「うーん、それはマンションじゃ無理ね」

「年寄りの体には、ああいう建物はこたえるよ。暖房をちゃんとしないとね」

「ねっ、ねっ、だから建てないとね、いけないのよ」

「あのね、ただでさえ更年期障害で具合が悪いのに、それで家なんか建てるっていうことになったら、どうなると思うの？　あんた死ぬよ」

きっぱりといいきったBさんの言葉に、Aさんはたじろいだが、「でも、やっぱり……気に入ったところに住みたいし……」

とつぶやいて、その場はそれで終わった。

それからしばらくたって、互助会の集合がかかった。

「ちょっと面白い出物があった」

とAさんがファクス用紙をひらひらさせている。あまりにBさんと私にぶうぶう文句をいわれたので、密《ひそ》かに行動を起こしたらしい。

「京都の町家《まちや》なんだけど、賃貸じゃなくて売り物なのよ」

「売り物かあ。買う気はないよ。人生にふたつの住宅ローンなんて、抱えたくない」

私は売り物と聞いて、はなから戦線離脱である。

「でもちょっと見てよ。ここだったら広いから、私たちがネコも連れてひとつ屋根の下に住んでも、ぜーんぜん問題ないわ」

私は彼女が建坪が百二十うんぬんといっていたので、

（そうか、百二十平米か）

などと思っていた。ところがよくよく図面を見ると、それは百二十平米ではなく、百二十坪だったのである。

「何これ」

「広すぎる。掃除するだけで、一日が終わるよ」

「今住んでいるところより広いじゃないの。歳をとったら体が縮むんだから、こんなに広い家なんていらないよ」

旧家が売りに出たらしいのだが、とにかくそこここに和室がある。「出稼ぎの外国人だったら、五百人くらいで住むね」

「でもほら、ここにあなたが住んで、ね、隣の部屋はネコ部屋にして……。ほーら、これだけ広ければひとつ屋根の下に住んでいても、プライバシーは保たれるでしょ」

Aさんはちょっと気に入っているふうであった。

「で、おいくらでございますの」

Bさんが静かに聞いた。

「あのう、それがですね。一億二千万なんです」

「はあ？」

Bさんと私は一気に脱力した。

「こういう物件は、ひとつひとつ石を積むような仕事をしてきた人間が買う物件じゃないわよ。あぶく銭がたんまりあるお方に買っていただけばよろしいんじゃないの」

「一人あたま二百万だったら、住んでやってもいいって、不動産屋にそういって」

老後の京都町家住まいは見事に崩れ去った。

友人との老後計画について、いちばん最初に提案したのは、作家でもあり現在は大学でも教えているS氏である。彼は友人から資金をつのって、老人ホームを建てるのだとはりきっていた。AさんはS氏の文章のファンだったので、それに興味を持っていたのだが、話を聞けば聞くほど彼の計画には欠陥があるのがわかり、彼抜きで勝手に三人で老後計画をすすめることになったのである。

顔を合わせれば、

「どうしたもんかねえ」

とはいうものの、具体的に何の行動も起こさない私とBさんの代わりに、Aさんは体調が悪いのを押して、コーポラティブハウスなどを調べていた。家造りに参加する人々と、業者が何度も会合を持って意見の交換をするとわかって、私たちは、

「面倒くさーい」

と口を揃えてこれまた離脱した。三人とも望みと口数が多いわりには、お尻がも

のすごく重いのである。

「やっぱり人の建てたところを借りるのがいちばん楽よ」

「それはそうだよね」

「同年輩を集めると、みんな一緒に歳をとるじゃない。そうなると助けてもらいたくても、共倒れの可能性が高いよね」

「そうそう、そこそこに若いのを調達しとかないと」

そこで頭に浮かんだのが、世の中で今いわれている「負け犬」ちゃんたちである。私たちもそのくくりでいうと「負け犬」になるのだろうが、負け犬とは思っていない。同じように勝ち犬だとも思っていない。

「そうだ、『負け犬』を調達しよう。部屋代は少し面倒みるからって条件を出して、雑用をやらせよう。ゴミ捨てとか、部屋の電球の取り替えとか、買い物とか」

「それがいい、それがいい」

私たちはぱちぱちと拍手をした。いくら口は達者でも、体が動かなくなってきたら、年下の者の手を借りないと生活していくのは無理だ。幸い、私たちの周辺には気のいい「負け犬」ちゃんが結構いる。

「私たち、『負け犬』ちゃんたちと、うまくやっていけるかしら」

老人ホームなどでは、相手はビジネスとして割り切ってできる部分もあるだろうが、心情でつながっている関係だと難しいときもあるだろう。

「それは大丈夫よ。それよりも『負け犬』同士で揉めたりしないかのほうが問題よ」

「なーるほど」

老人になっていて、恋愛なんか面倒くさいと思っている私たちには関係ないが、年下の「負け犬」ちゃんたちには、中年になってからの恋愛や結婚というチャンスもあるだろう。

「そこを『負け犬』ちゃん同士が、どうするかだわね」

そうなった場合、私たち、負け犬を手下にしているボスが出ていって、うまく収めるか、どうするかという話題になったが、

「『負け犬』の揉め事は、『負け犬』同士で収めさせる」

という結論に達した。

しばらく私たちは盛り上がった。こういう話をしていると、老後計画は完璧にな

りつつあると錯覚してしまうが、実は何の進展もしていない。だいたい老後に住む場所も決まっていないし、こちらが勝手にあてにしている、気のいい「負け犬」ちゃんたちだって、私たちの意見に賛同してくれるかどうか、わからないのだ。

「いやだよ〜ん」

といわれたら、それでおしまいだ。

それ以来、会えばあれこれいうものの、相変わらず尻は重い。想像しているときがいちばん楽しい。それはまだ私たちが現実に直面していないからでもある。自分たちが何とかしなくちゃ何《なん》にもならないのだが、日々の仕事にかまけてそのままになっている。

「誰か、長屋を建ててくれないかなあ」

最近は他力本願になってきた。こんなことで隠居なんかできるのかと思うが、三人とも計画をたてて、それをめざして何かをやるというのがとても苦手なのだ。

「まあ、何とかなるんじゃないの」

と相変わらずゆるい。五十歳をすぎて、こんな調子でいいのかしらとは思う。しかし老後生活を助けてくれる命綱の、手下に使えそうな「負け犬」ちゃんの物色だけは欠かさないのである。

男の意気地

最近はまた、コンプレックス商売が盛んになってきた。たとえば男性のコンプレックスには、ひと目でわかるもの、服を脱がないとわからないもの、何か事を起こさないとわからないものといろいろあるが、人目につくという点では、やはり薄毛の悩みがいちばんだろう。私は薄毛もハゲも何とも思わない。父親が薄毛だと見慣れているので、何とも思わない女性が多いといわれるが、私の父親はふさふさしていたけれども、偏見は持っていない。彼らの人格には何も関係ないからである。当人にはどうしようもないＤＮＡがそうなってしまっているのだから、あれこれいうのは気の毒というものだ。

たしかに若いころから薄くなっていると、老けてみえるのは事実だが、どんなに老けて見えたとしても、二十代が五十代に見えることはないだろう。基準を二十代においくから、二十代に見られないことが悲しくなる。実年齢を知らない世間の人に対しては、基準を外見の年齢にしておいて、それにしては肌の色つやがいいと、自分のいいところをアピールしたほうが前向きだと、考えるわけにはいかないんだろうか。そのうち自分の年齢が追いついて、違和感がなくなるのだから、二十年くらいの辛抱である。若い人は長いと思うかもしれないが、結構あっという間なのである。

コンプレックスがある人は、仕事や人間関係がうまくいかなくなると、

「これのせいでは……」

と悩みたくなるものだ。自分が嫌っているから人も嫌っているのだろうと、いちばん分かりやすい部分で自分を納得させようとするのだ。しかし私が五十年生きてきて考えると、今まで薄毛の人やハゲの人と何人も会ってきたが、それが理由でその人が嫌いになったことは一度もない。万が一、トラブルが起きたとしても、それは彼の性格的な問題で、何人《なんびと》たりともハゲていて気のいい人を嫌う理由はどこにも

ないはずなのである。

薄毛、ハゲでも一向にかまわないのに、それを姑息な手段で隠そうとする人がいる。たとえば残っている毛をものすごく長く伸ばして、ないところへ並べていくタイプである。頭を黒いもので覆えばいいというものではない。二十代のOLのとき、電車でスーツにネクタイ姿の、そういうおじさんが隣の席に座ろうとしたとき、思わず凝視してしまったことがあった。顔のしわや肌からみて、年齢は四十代の半ばから五十代のはじめといったところだった。薄毛やハゲの人はそれまで何人も見ていたが、この人のようによくいえば器用に、悪くいえばずるくごまかしているのを見たことがなかったからだった。

（いったいこれは、どうなっているのだ）

徹底的に観察したいのに、向かい側ではなく、隣に座られたのが問題だった。あまりに近いので凝視できない。顔を横に向けて露骨に見るのはさすがにはばかられたが、無視するにはあまりに貴重な対象だった。私は斜め横を見るふりをして、横目になって必死に観察した。背後の窓の外の景色を見るふりをして、後ろを振り返り、そのときにじっと彼の頭を見たりもした。

（？）

彼の頭は本当に謎だった。明らかにかつらではなく、地毛で頭を覆っている。丸い頭に髪の毛を添わせようとすると、ひっつめにする場合は別にして、よっぽど整髪料をつけないと、髪のほつれが出る。ところが彼には一本のほつれ髪もないのである。観察の結果、彼の地毛は右側面に残っているものを伸ばし、それをとぐろを巻くように頭部の表面に並べているとわかった。が、毛の流れの出発点はわかったが終着点がわからない。このような状態だといくらか段差がつくと思うのであるが、それもまったくなく、遠目にはちゃんと黒い髪が一面に生えているような感じに仕上げてある。ただ近くで見ると、生えぎわ、毛流などは一切無視のヘアスタイルなので、

「何だ、こりゃ」

とあっけにとられるのだった。

私はまず、何でこんな悪あがきをするのだろうと呆れた。この人は家に帰ったとき、ヘアスタイルはどうなっているのか。右側面の毛だけがなが－くのびているなんて、ハゲよりもそっちのほうが変じゃないのか。私が妻だとしたら、ハゲよりそ

ういうヘアスタイルの夫のほうが何倍もいやだ。他人事ながら、どうしてこんなことにと思いながら、横目でじっと見ているうちに、

（それにしても、この髪の毛を並べる技術はすごいな）

と感心するようになった。動いても髪が頭皮からずり落ちないし乱れない。まるでとぐろを巻いた毛のキャップのように、頭に収まっている。ローマ法王のお帽子がいつもちゃんと頭の上におさまっているのにも感心するが、それと同じくらい密着しているのである。

（接着剤でくっつけてるのか）

また横目で観察したが、そのような気配はない。

（この人は手先が器用で、ものすごい技術を持っているのかもしれない）

若いころから悩み続けて試行錯誤のあげく、彼にとって画期的な方法を見つけ、だんだん技術も向上した可能性もある。世界美容師コンテストがあって、ハゲ隠し部門があったら絶対に優勝だ。毎日、自分の頭上に手を持っていくのは、なかなか大変である。女性で自分の髪の毛を結い上げたり、触るのが好きな人がいるけれども、私は苦手だ。長く伸ばしていた頃もあったが、何の手入れもせずただ伸ばしっ

ぱなしだった。両手を肩から上にあげて、ずっと作業をするのは大変だ。それができる人は、自分をよりよく見せようとする執念があるからなのだろう。だから彼もその執念があればこそ、このヘアスタイルを考えつき、毎日、実行してきたのだ。

(大変な作業だなあ)

とうなずいた私の頭に、ふと浮かんだのは彼の妻のことである。妻はこのような夫の姿をどう感じているのか。夫の外見など給料を持ってくればどうでもいいのか、それとも何事にも頓着しない、のんびりとした妻なのだろうか。などと想像しているうちに、もしかして妻がこの頭を創っているのかもしれないと思いはじめた。薄毛の夫のために、毎日、髪の毛を夫の頭に並べる。自分でやるよりも妻にやってもらったほうが、技術を要するヘアスタイルとはいいながら、形をつけやすいのは事実だ。

(すばらしい技術を持っていたのは妻なのかも)

夫のために毎日、そうしてあげているとしたら、何と美しい夫婦愛なのだろうか。夫のために鏡の前で、地肌隠しをしてあげる妻の姿は麗しい。結局、私のなかで彼のヘアスタイルは、夫婦愛で創られていると決定した。真実はどうあれ、彼のヘアスタイルは、職人技というべき卓越した技術をもって、成り立っていたのは事実なのである。

私の顔見知りに、明らかにかつらだとわかる男性がいる。年齢は五十代はじめで、とってもいい人だ。私が贔屓にしている店の番頭さんで年に二度、東京での展示会で上京する。客商売だからハゲだと印象が悪いと気を遣ったのだろうが、彼が使っているのは誰もが一目でそれとわかるかつらだった。もしかしたらではなく、万人が見てかつらである。こういったコンプレックス商売は、悪くいえば人の弱味につけ込んでいるから、結構な値段になってしまう場合が多い。かつらも本当に精巧なものだと、全くそれとわからないし、相当な額になると聞いた。しかし彼がのせているのは、明らかに廉価品であった。偽物の髪の毛の黒いちりちりの糸が、フリスビー状に固められていて、それを頭頂部にかぱっとはめている。形状でいうと頭頂部の赤いところが黒くなっている丹頂鶴みたいなのであった。八年前、最初に会ったとき、

（あ、かつらだ）

と驚き、次の瞬間、

（目をやってはいかん、見つめてはいかん）

と必死に彼の頭部から目を外《そ》らそうとしたが、そうしようとすればするほど、目は彼の頭部に吸い寄せられる。彼との話に相槌を打ちながらも、かつらが気になって仕方がなかった。どうしても目線が上に上にといってしまうので困った。どうしてあんなバレバレのかつらをかぶっているのか。赤塚不二夫の漫画に出てくる、ハタ坊の旗に、「かつら」と書いてあるようなものである。あんなものをかぶるくらいなら、いっそすべてをさらけ出したほうが潔いのに、とも思った。

それから彼とは年に二度ほど会い、そのたびに、

（あーあ、まだあのかつらのままだ）

とため息をついた。彼よりも私のほうがかつらを気にしていた。そこそこ給料をもらっているはずなのに、彼のかつらは一向にバージョンアップされる気配がない。

（きみはそれでいいと思っているのか。かぶると決めたのなら、もうちょっと何とかしたらどうか）

と腹の中から念を送っていたのだが、彼には届かなかったらしい。強力な接着剤で貼り付けてしまったものだから、二度と取れないのかもしれないとも思った。会

ったとたんに周囲の人には、みーんなわかってしまうのに、人々は見て見ないふりをしている。それを見ている私のほうが耐えられなくなりそうだった。

（あの人も、この人も、彼がかつらだってわかってて、知らんぷりしているんだな）

と思うと、自分も彼らと同じ行動をとったのに、傍から見ていると彼のことが痛々しくなってくる。いっそ、かつらなんか取ってしまって、

「あれー、最近、また、薄くなっちゃったんじゃないの」

「えっ、わかりました？　はあ、そうなんですわ」

と明るくいい合えるほうがいいのではないか。目の前でいわれるのと、陰でいわれるのを比べたら、私は目の前でいわれたほうがはるかにいいし、陰でこそこそいわれていると思ったらそっちのほうが耐えられない。しかし彼はそういうタイプではなかったのだろう。

彼のかつらはバージョンアップされないまま、八年が過ぎていった。そしてふと気がつくと、彼の頭に慣れた私がいた。今は彼を見ても、かつらをかぶっていると は思わない。

「頭頂部にそういう毛が生えている人」である。まさに「継続は力なり」である。下手にバージョンアップしなかったのも、彼の作戦だったかもしれない。彼はずっと、「かつらに見える毛が生えている」自分を通したのだ。私としては男性は、中途半端に隠すよりは、短く刈り込んでしまうか、スキンヘッドにしたほうがずっとかっこいいと思うけれども、

「なるほど、そういう方法もあるか」

と男の別の意気地を見た思いがしたのであった。

ぬるーく地道に暮らす

以前、テレビを買い換えたら、周辺機器をつなぐ穴の数が足りないために、ＤＶＤと再生専用ビデオのジャックを、観るたびに差したり抜いたり、接続し直しているという話を書いた。その後、穴が足りなくてもちゃんと接続できる方法を、ご親切にお手紙で教えてくださった方がいて、その通りにラインにつなげたら、ちゃんとＤＶＤを接続したままで、ビデオを再生することができた。

「わあい、すごーい」

ぱちぱちと画面の前で拍手しながら、喜んでいた私であるが、よく考えてみると、こんなこともわからなかったのかと、我ながら情けなくなった。取扱説明書が出てきたのでそれに目を通すと、ちゃんとラインに繋ぐ方法が出ている。これをちゃんと読んでいれば、読者の方にもお手数をおかけすることはなかったのだ。

「本当に無知もほどほどにしといたほうがいいよ」

自分で自分を叱りつけておいたが、本当にご親切な方々のおかげで、私は生かされているんだなあと感じる。「無知の知」にも限度があると反省する今日このごろである。

で、本題であるが最近、少子化がまた問題視されるようになってきた。年金改革の目算が、出生率一・二九という現実をつきつけられて、とってもまずい状況に陥っているのであるが、東京都だけを見ると出生率は一を切ったという。周囲の私と同年輩か年下の女性たちを思い浮かべても、ほとんどが子供はおらず、いたとしても一人だけである。たしかに東京では出生率は、一を切っているような気配である。

私はもともと子供が嫌いなので、欲しいと思ったことはない。というよりも、男性とつき合っても、子供ができたらどうしようと、不安でたまらなくなるタイプだった。子供ができたら私がやりたいと思っていることがすべてだめになってしまうとも考えていた。幸い、水子にすることもなく、出産することもなく済んできたが、

現在とは社会の状況も違うけれども、私のなかでは、

「子供ができたら私の人生はそれでおしまい」

だったのだ。子供は無条件でかわいいという人もいて、そういう発言を耳にするたびに、偽善者っぽくて嫌な感じがした。でも私も動物は無条件にかわいいと思うから、それと同じことかと、最近は多少は理解できるようになった。しかし気持ちのゆとりができた今でも、五分以上は一緒にいたくない。きーっと声を張り上げたとたんに、どこかにいってもらいたくなる。我が子が傍若無人な振舞いをしているのに、全く叱ろうともしない親を見ると、心の底から腹が立ってくる。これから子供の数が少なくなると、そういう思いもせずにすむだろうと、ちょっとほっとしたりもしているのだ。


女性が子供を産む理由はいろいろだ。女性として当然。結婚をして子供がいる生活は当たり前。できちゃったから仕方がない。妊娠はいいチャンスで、それで結婚してくれと男性に迫れる。気がついたら堕ろせない状態になっていた。好きな人の子供が欲しかった。親に孫の顔を見せたかった……。まあ人それぞれである。理由はともあれ、国としては、

「とにかく産んでーっ」

と叫びたい気分に違いない。

私が若い頃、同年輩の女性のなかに、

「老後を面倒みてもらうために、子供がいないと困る」

と真剣に考えている人が結構いた。あてにされて生まれてきた子供が気の毒だったが、日本にはそういう考え方が連綿と続いてきていた。でも今の若い人にはそういう考え方の人は少ない。子供には子供の人生があるのだから、介護を仕事とする他人に面倒をみてもらったほうが気楽という人も多くなっている。

私は子供に興味がないので、既婚者に子供がいてもいなくても、その理由に関心がなかった。なかには欲しくても、事情があって子供ができない場合もあるから、それをあれこれ詮索するのは失礼である。しかしこう少子化が問題になってくると、彼女たちには何かあるのではないかと、

「子供は欲しいと思ってる？」

と何人かに聞いてみた。仕事が面白いし、まだいろいろなことを覚えたい。それには今の状態で、子育てに時間がとられるとなると、タイミングが悪いという人。

人間の子供よりもイヌやネコのほうがかわいいのでいらないという人。たまたまできないだけで、成り行きまかせという人。そしていちばん多かったのが、

「この世の中で子供を産んでもねえ……」

という意見だった。

子供のいない私でも、

「いったい今の世の中はどうなってんだ」

と驚く事件ばかりが起きる。これまでは十八、九歳の、未成年ぎりぎりの犯罪でも驚いていたのに、最近は殺人犯が小学生、中学生になった。子供を持つ親とした ら、驚愕の日々に違いない。もちろんそういうふうになってしまった子供のほうが、割合は少ないけれども、誰だって、

「完璧に子供を育てました！」

といいきれる親などいないだろう。同様に、子供を犯罪を犯すような人格に育てようとする親もいない。親は自分の子供は大丈夫と信じているけれども、そうとはいえない現実に不安になってしまうだろう。

「子供を産んでいいことなんてあるんでしょうか。産むときは痛いし、教育にはお

金がかかるし、やっと大きくなったかと思ったら、出会い系サイトで知り合って遊んで、それくらいならまだいいけど、人を傷つけたりなんかしたら、もう散々じゃないですか。そうならないまでも、うちの会社のアルバイトを見ても、偏差値が高い大学に通っているのに、本当に頭が悪いんです。人間として頭が悪いんですよ。なまじ学校の成績がよかったものだから、注意するとプライドを傷つけられたとかいって、逆ギレされるし。あんなのを見ていると、暗澹たる気持ちになります」

これまで私は、両親はまともなのに、子供がそうではない例を、何人も見てきた。往々にして親が子供に甘く、ちゃんと叱らないのが気になった。鳶が鷹を生む場合もあるが、両親が善良だから子供もそうとは限らない。これは人生の大博打である。結婚も人生の博打といわれるけれども、しょせん妻や夫は他人である。しかし子供はそうはいかない。結婚して子供を持たないのは、何かあったときに親としてリスクを背負うのは、とても辛いということなのか。世の中には、

「あんたたちは子供を作ったらまずいだろう」

といいたくなるような夫婦が、どんどこ子供を産み、あまりに真剣に考えて迷いが生じた夫婦は出産に消極的になる。国にとってはとにかく産んでもらったほうが

うれしいのだろうが、迷いがある人たちに産んでもらわないことには、出生率の上昇はありえないのである。

子供が欲しいという人は、何が何でも欲しい。二年ほど前から、有名人のカップルが、海外の代理母に産んでもらうという話になり、騒ぎになっていた。

「いいじゃないか、代理母に産んでもらっても」

というのが私の意見である。欲しい人はどうやったって欲しいのである。私個人としては、子供がいない夫婦なりの楽しみ方もあるだろうし、子供を育てたいと思うのであれば、養子でもいいはずだ。でも彼らは自分たちの子供がどうしても欲しい。それは他人があれこれいっても、当事者にしかわからない夫婦の問題である。金銭的、体力的な負担も受け入れ、それでも自分たちの子供が欲しいというのなら、他人がとやかくいう問題ではない。カップルの女性のホームページによると、産まれた双子は夫婦の実子としては、日本国籍が取得できないという。子供は日本在住のアメリカ人という扱いらしい。

「あー、もったいない。二人分、損しちゃった」

それを知って思わずつぶやいた。出生率低下の折り、二人の子供を日本国籍にしてくれと、両親が望んでいるのである。こんなにありがたい話はないのに、法務省はぐずぐずしている。代理母出産でも受理された前例があるらしいから、法律を一本化しない小ずるさも国のほうにあるのだが、これからは海外の代理母にどんどん産んでもらい、小うるさいことをいわないで、みんな日本人にしちゃえば、少子化の改善に少しでも役には立つだろう。

国としてなぜ少子化がまずいかというと、年金制度が破綻するのと、国民の活力がなくなり、先進国から脱落するからなんだそうだ。別に先進国じゃなくなってもいいのではないか。だいたいこんな東洋のちっこい島国である日本には、先進国というイメージは似合わない。これまで分不相応に無理してやってきたつけが、今まわってきたのだ。たしかに敗戦後、私の父や母、その上の世代がふんばり、がんばってくれたおかげで、現在の便利な生活が手に入った。私もその恩恵にあずかっている。とてもありがたいことである。が、そのおかげで人は、いろいろな意味でお馬鹿になっていった。私の世代も上の人たちからみれば情けないと思われただろうし、今の若い人たちを見て、私も同じようにそう感じる。そうでない人々ももちろんいるけれども、人間の頭数は揃っていても、仕事のミスは多発し、それに対して人として誠意ある態度もとれない。明らかに全ジャンルにおいて、能力が低下しているのは間違いない。

代理母に産んでもらっても少子化が改善されず、また日本人の能力低下で先進国から脱落したら、スローライフの日々を送ればいいではないか。そちらのほうが今の世の中よりもずっと健全だ。今の若い人は寿命も短いだろうし、それに少子化が加わるとますます人口も少なくなるので、土地は多少融通がきくようになる。がむしゃらに働かないまでも、いちおう食べる物は必要であるから、庭や空き地を畑にして野菜などは作ることにする。第一次産業は生きる根本であるから、これからは人々がより大切にして、農家をみなで手伝ってお裾分けをもらうという手もある。日本には日本にふさわしい生き方があった。それは人間の生き方と同じである。きっと今は日本が体調が悪くなった時期だ。バブルだ何だと分をわきまえず、お調子こいてうかれまくり、何かくれそうな人たちに好かれようと、媚びへつらってへとへとになっているのだ。

こんな体にたまった毒を、一度、出さない限り無理だ。だから悪あがきはやめたほうがいい。出生率が下がったのも自然のなりゆきである。産みたい人は産んで、産みたくない人は産まなければいい。それで日本という国の人口が減り、先進国から脱落しても、それは仕方がないではないか。たしかに若者や子供が少ないというのは活気は欠けるけれども、年輩者が多くてぬるーく地道に暮らす、国全体が村みたいな雰囲気が、日本という国の分としてはいちばん合っているような気がするのである。

植物とのコミュニケーション

私は花や観葉植物を眺めるのは好きだが、育てるのはものすごく苦手である。苦手であるというよりも、はっきりいって嫌いだ。ガーデニングなんぞもってのほかである。お花をいただく機会も多いが、そのときはとてもうれしいのだけれども、それと同時に、

「あーあ、面倒みなくっちゃ」

とため息をつく。ただ水をやるだけじゃないかといわれそうだが、他の家と比較したわけではないけれど、うちに来た花はどうも寿命が短くなるような気がする。花も生き物であるから、それを見ると私のほうも気が重くなり、もともと長持ちさ

せる自信もないから花の生命力のせいではなく、自分のせいだと思う。それが証拠に、いただいたときに活き活きとした花束であっても、あっという間にぐったりしてくる。もちろんほったらかしにしているわけではなく、水切りをしてちゃんと花瓶に活けてである。その花瓶も私だったら絶対に買わないであろう、クリスタルの豪勢なものである。十年前、引越祝いに人様からいただいた品で、この美しい花瓶に美しい花が活けてあるのを見ると、散らかった部屋もそれなりにみえる。いちおう私もうれしくなって、蕾の数を数えながら、

「あと三輪は咲くな」

と期待する。ところが期待とはうらはらに、見る間に花は弱っていき、蕾も開くことなくそのままがっくりと首をうなだれて、おわりになってしまうのだ。

私の記憶ではこれまでもらった数多くの花の蕾のうち、咲いたものは二輪だけだった。一度、蕾が悪いのではないかと、カッターナイフで蕾を縦に割ってみた。水だって替えているし、日差しにも注意しているつもりである。こんなにいつも蕾が開かず、ぐったりするのはおかしい。中がどうかなっているとしか考えられない。私の想像では蕾の中は虫に食われて真っ黒けだったのだが、実際にはこれから咲く

はずの美しい花びらが、幾重にもなっていた。

「うーむ」

何ともいえない罪悪感が襲ってきた。花にとって私は、悪質な連続殺人犯である。ガーデニング好きやちゃんと花の面倒を見られる人は、

「花は手をかければかけるほど、こちらに応えてくれる」

という。私は、

「ほお」

というだけである。私も花をもらって精一杯世話をしたつもりである。が、すぐにぐったりされると、

「これ以上、何を望むんじゃい」

といいたくなる。

「ちゃんとネコを育てているじゃないですか。花も同じですよ」

といわれたりもするが、ネコは鳴いて自己主張をする。よく見ていれば今、何をしてもらいたいかがこちらに伝わる。コミュニケーションがとれる。しかし花はそうではない。じっと水につかっているだけだ。

「これでよし」

と思っても、翌日、茎が柔らかくぐんにゃりしている。水を替え、

「何でかしら」

と首をかしげながら、ぐんにゃりした茎をさすったり揉んだりして、また水の中に挿してみるが、ますます状態は悪化して、ぐったり度は増し、二度と頭をもたげることはない。おまけに咲いている花の散るのも早い。一週間楽しめますなどと書いてあるのに、うちに来ると三日持てばいいほうだ。世の中には切り花を信じられないくらい長持ちさせる人がいる。鉢植えなんて永久的に生き続けているのではないかと思えるくらいである。親の代からの鉢植えを、丁寧に育て続けている人もいる。こういう人は植物の声なき声を聞ける人なのだ。しかしうちは切り花は三日、鉢植えの花でさえすぐに枯れる、花にとっては地獄のような家なのだ。

どうしてこうなるのかと、ガーデニング好きの友だちに聞いてみたら、

「うーん、そうねえ。面倒くさい電波が出てるんじゃないの」

といわれた。たしかに愛情こめて、いそいそとお世話をという気持ちはない。彼女によると、もともと土いじりは大好きで全く苦にはならず、土を整えて苗や球根

を植え、芽が出て花が咲くその折々に、思わず、

「きれいに咲いてね」

という気持ちにあふれるんだそうである。

「はあ……」

たしかにネコを拾ってから、事あるごとに、

「かわいいねえ、いい子だねえ」

と傍から見れば馬鹿ではないかと思われるくらいに、体を撫でて話しかけてきた。それを花にもすればいいということか。たしかにネコに比べたら花に対する愛情の度合は雲泥の差である。花だって面倒くさい電波を発されながら世話をされるより、愛情こめて世話をされたほうが、きれいに咲こうと意欲的になるのは当然だろう。

うちの母親は欲が深く、金遣いの荒い女であるが、草花、野菜を育てることに関しては才能がある。本当に土いじりが好きなのである。そのような才能は性格、人格とは関係ないらしい。瀕死の鉢植えの蘭を、私から救出して復活させたし、家庭菜園で作った、青梗菜《チンゲンサイ》、大葉、明日葉《あしたば》、ゴーヤー、バジル、プチトマト、なす、きゅうり、ほうれん草、にら、にんじんなど、

「こんなに食えないぞ」

というくらい山のように送ってくる。消費するのに必死である。そして野菜便はぱたっと途絶え、また何カ月かすると、思い出したように、どっと野菜が送られてくる。

「ああいうふうにまとめてじゃなくてさ、毎月、少しずつ送るわけにはいかないの」

痛いところを突かれたというように、母親は、

「げっ」

と一言発して黙ってしまった。

「今度からそうしてよ」

「うーん、それがねえ……。そこが素人とプロの違いで……」

彼女は口ごもった。素人は、ただ収穫できればいいと思っているから、とにかくどっと作ってしまう。隣近所に分けてもまだ余るくらい収穫がある。しかしその後はそれっきり収穫ゼロ。それに比べてプロは、収穫時期を微妙にずらす技術を持っていて、コンスタントに収穫が可能なようにできるのだという。

「うまくいかないのよ」

技術のない素人の家庭菜園では、とにかくどっと収穫してどっと食うしかないのであった。

花を長持ちさせるのは、野菜を作るよりは簡単そうな気がする。が、それすら私はできない。次に花をもらったときは、面倒くさい電波を発しないようにしようとしていたところへ、花束をいただいた。水切りをして花瓶に活け、

「まー、なーんてきれいなんでしょ。いつまでも咲いてねーっ」

と話しかけた。精一杯のお愛想である。ところが私の努力も虚しく、二日後にはぐったりして、蕾も開かずじまいであった。

「だめだ、花は」

花を見限り、ガーデニング好きの友だちにそれを告げると、

「それはもう、ハーブしかないわ。ハーブを枯らしたら、もう植物関係には絶対に近付かないで」

といい渡された。たしかにハーブはもともと雑草だから、丈夫で育てやすいと聞いたことがある。ハーブを扱っている店に行き、ラベンダーとローズマリーの苗を

買い、ベランダで育ててみることにした。土も購入してコンテナに投入し、雨が降ったときは雨に濡れ、日が差したら日を受けるような場所に設置した。殺人犯のままでは気分が悪いので、何とか汚名返上したかったのである。最初はどきどきしたものの、さすがハーブは丈夫で、朝の水やり以外に何もしないでも、ぐんぐん育ってくれた。私の努力というよりも、それぞれのパワーで成長しているという感じである。きのこが生えてきたり、昔、野原で見た草が次々に生えてきたりしたが、ハーブたちはとても元気に育ってくれている。頃合いを見計らって、伸びたところを切っては晒《さらし》の袋に入れて、入浴のときに香りを楽しんだりした。ラベンダーは疲れたときに葉っぱをこすって匂いをかぐと、体がほぐれてくる。

「これはなかなかいいわい」

と喜んでいたものの、ふと、

「いつまでずっと成長し続けるつもりなのだろうか」

と気になってきた。切ったところからは絶えず、鮮やかな色の新しい緑色の茎が出てくる。枯らさなかったはじめての植物である。めでたいのはめでたいのだが、もともとハーブは地べたに生えて、人々に重宝されたものである。人の手が入って改良された花とは違う。野原でずっとハーブが育ち続けているのは、人間の生活にとってとても大切なことだが、それをコンテナで育てているとなると、

「この先、どうするんだ」

という疑問が浮かんできたのだ。

ハーブの元気さを見ていると、この先、百年はOKといった雰囲気である。とてもこのハーブより長生きできる自信はない。ラベンダーが花をつけたので、切って花瓶に挿したりもした。小さい苗が生長して花までつけたのである。大喜びしていいはずなのに、不安はつのるばかりである。おまけに花を切った後、また茎が伸びて花をつけたのだが、それがどういうわけか、みな、もとの茎から直角に伸びている。天に向かって垂直ではなく、全部が横に広がっているのだ。

「いいのか、これで」

どうしてこうなるのかわからない。ローズマリーはそれらしい形体を守ってくれているが、ラベンダーのほうは、収拾がつかなくなってきている。放っておいても生長してくれるのは間違いないが、いつまで生長し続けるつもりなのか。これらのハーブには終わりがあるのだろうか。自分でもひどい奴と呆れながら、

「枯れてくれないかな」

と思うようになった。いつまでも終わらないというのは私には負担だ。短すぎるのも悲しいが、いつまでたっても終わりが見えないのも不安になる。ところが不埒な思いがハーブに伝わったのか、「なにくそ」の雑草根性で、ますます元気に生長を続けている。

「うーむ、ちょっと意味は違うけど、はじめて植物とコミュニケーションがとれたのかも……」

私は複雑な思いで、毎朝、ハーブに水をやっているのである。

モモヨの思い出

約十年前、『モモヨ、まだ九十歳』（筑摩書房）という本を出させてもらった。モモヨというのは一九〇〇年生まれの私の母方の祖母で、とにかく好奇心が強くて元気な人だった。最近、モモヨのその後を気にかけてくださる方が多いので、彼女について書く。モモヨは死ぬまでに一度、上野動物園のパンダを見て、巣鴨のおばあちゃんの原宿に行きたいといい、九十歳のときに一人で上京してきた。その元気さに私は驚いた。もっとよたよたしているのかと思ったが、さっさかさっさか歩き、話しかけてもタイムラグもなく、即座に答えが返ってくる。家ではテレビがお友だちで、ニュースによって世界情勢に精通し、清原選手の大ファンで彼の試合は必ず

見ていて、打率や試合経過まで覚えていた。我が祖母ながら、どうしたの、この人といいたくなるくらい、しゃきしゃきしていたのであった。母はモモヨが滞在している一週間、何かあったら大変だとずっと気を揉んでいた。興味を惹くものがあると、たたたーっと走っていってしまうモモヨの後にくっついていくのが大変で、精神的、肉体的疲労で、モモヨが帰った後の一週間、寝込むはめになった。当人は、

「あんなに楽しいことはなかった。いい思い出ができた」

と大喜びで、誰よりも元気だということが判明したのであった。

モモヨは駄菓子問屋に生まれ、結婚して八人の子供をもうけたが、一番下の息子が赤ん坊のときに、夫が肺炎で急死する。それから女手ひとつで子供を育て、呑気な苦労知らずの娘時代と打って変わって、慣れない行商もした。太平洋戦争をはさんで、苦労続きであった。その後は生活も落ち着き、子供たちも独り立ちしてからは、私の伯父にあたる息子夫婦と一緒に住んで八十二歳まで働いていた。それも前々から伯父に、

「そんなに働かなくてもいいじゃないか。体が心配だからいい加減でやめてくれ」

といわれていたのを無視し続けて、しぶしぶ八十二歳でやめたのである。仕事は

家具のニス塗りだった。近所の家具製造業の社長さんが、お年寄りは仕事が丁寧だからと、お年寄りのパートタイマーを雇っていた。椅子に座ってずーっとニスを塗り続ける仕事も、若者にとってはひどく退屈だが、お年寄りにとっては、同僚と話をしながら手だけ動かせばいいので、

「楽でとっても楽しい仕事」

とモモヨはいっていた。休み時間には各々自分の家から惣菜や常備菜を持ち寄って、昼ご飯にする。

そのうち一人が来なくなり、また一人来なくなりと、最後にモモヨだけが残ってしまった。それでもしばらくは勤めていたのだが、さすがに話し相手もいなくなってつまらなくなったことも、退職を決めた理由のひとつだった。

「その人たちは今、どうしてるの」

と聞いたら、あまりにあっけらかんと、

「みな死んだ」

といったので、びっくりした覚えがある。悲しげでもなく、嘆くわけでもなく、淡々としていたので、

「長生きをする年寄りとはこういうものなのか」

と思ったのだった。

モモヨはとてもお洒落で、いつも身ぎれいにしていて、ものすごく頭の回転が速かった。盲目的に孫をかわいがるタイプではなく、どちらかというとしつけには厳しいほうだった。仕事をやめてから少し太ったのを気にして、おもちゃ屋で縄跳びの縄を買い、家の庭でやると息子夫婦にばれるので、こっそり公園まで出かけて、縄跳びをして体重を減らそうとしていたこともある。骨折をして入院したときは、近所の人から陰で、

「お気の毒だけど、おばあちゃんはもうだめかも」

などといわれていたが、嫌いな牛乳を毎日飲み続けて、見事に完治させた。東京にやってきたときの行動を見ると、骨折をしたことなどみじんも感じさせない脚力だった。テレビに出ている人を見て、

「この人は嫌い」

ときっぱりという。とにかくぐずぐずいわず、物言いも簡潔なのだった。祖母と話していても、年寄りと話しているという感覚は全くなかった。

記念すべき九十歳の東京見物を終えたモモヨは、いつもの生活に戻った。伯父夫婦の家では自分の食べた食器は自分で洗うという決まりがあり、それ以外は何も強制されない。朝食が済み、自分の食器を洗うとモモヨは自分の部屋に引っ込み、お友だちであるテレビをずーっと見ている。ひ孫が遊びに来ればその相手をし、散歩に誘われたり縄跳びがしたくなったら出かける。のんびりと日々を暮らしていたのである。

それから五年ほど経って、私は母親からモモヨが入院したと聞いた。食事をしているときに物が詰まるような感じがしたり、戻したりするようになったので、病院に連れていったら食道に腫瘍ができているといわれたというのである。年齢も年齢であるし、いつ何時《なんどき》、何が起こってもおかしくないのだが、これまで病気らしい病気などしたことがないので、今回は少し深刻のような気がした。実は前の年、モモヨはひどい風邪をひいて、

「死ぬかと思ったけど、こんなことで死ぬもんかとふんばって治した」

と電話でいっていて、大笑いしたことがあったのだ。モモヨが入院してしばらくたって、母親が、

「もしかしたら最後になるかもしれないから、病院に行ったほうがいいんじゃない」

という。母親は仕事が休めないので、気になっても病院に行くことができないのである。モモヨには腫瘍のことは話していないので、私も深刻な顔をして行くことはできない。たまたま仕事があって近くまで来たので、ちょっと寄ってみたというふうにした。最寄りの駅前で、モモヨの好きな薄紫色の花でバスケットにアレンジしてもらって病院に行くと、私の顔を見たモモヨは、

「あら、ま、どうしたの」

と目を丸くした。

「たまたま仕事で近くまで来たんだけど、入院したって聞いたから、お見舞い」

そういってバスケットを渡すと、

「まあ、きれいだねえ、どうもありがとう」

といって、自分でバスケットをベッドからいちばん目立つ棚の上に置いた。私の予想としては、青い顔をして横たわるモモヨだったのだが、肌の色つやもよくつやつやしていて、とても病人とは思えない。同じ病室の、娘ほど年齢の違う他の患者

さんたちと比べても、いちばん元気に見えるのがモモヨだった。

「どうして入院してるの」

思わず口に出てしまった。

「そうなの。どうしてここにいなくちゃいけないのかわからない」

モモヨはむっとしていた。あの肌の色つやで、

「私は病人です」

といわれたら、百人が百人、

「嘘でしょう」

というくらいだった。一泊で帰ってきた私に、後日、モモヨが無事退院したと連絡がきた。コバルトをかけてレントゲン写真を見た医者が、

「あれ？　何もない」

といったので即、退院になったのである。親戚中で、

「いったい、あれは何だったんだ！」

といっとき話題になったのであるが、ともかくモモヨは体内に異物もなくまたふだんの生活に戻ったのだった。

ところがその一年後、母親からモモヨが老人施設に入れられたという話を聞いた。伯父夫婦の判断でそういうことになったらしいのだが、同居していない叔父、叔母たちはみな激怒していた。伯父夫婦は自分たちが楽をしたいから、あんなことをしたというのである。モモヨが嫌がっていたのを無理に入所させたのはひどいと思ったが、長い間同居をしていた伯父夫婦にも、いいたいことはいろいろあるのではないかという気がした。伯母は結婚してからモモヨがいない生活はなかった。それがあたり前だと思っていたが、モモヨの入院である種の解放感を感じてしまったのではないだろうか。嫁姑の問題ははた目には全くなく、母親はいつもモモヨのほうが我慢しているといっていたが、同居している当事者でないと、本当のところはわからない。母親はいっそ東京に引き取りたいと涙声で怒っていたが、モモヨは伯父夫婦の家に戻りたいという、それだけだった。体も元気に動き、日常生活も誰の手をわずらわせることなく送れ、住宅事情にも問題がない環境のモモヨにとっては、老人施設に入れられるのは、さぞかしプライドが傷つけられたことだろう。病院に入院したときと同じように、

「どうしてここにいなくちゃいけないのかわからない」

だったはずだ。伯母も気にかけて施設には通っていたようだが、モモヨは、

「帰りたい、帰りたい」

としかいわない。あるとき、伯母が階下で用事をすませて、三階のモモヨの部屋に戻ると姿が見えない。どうしたのかとふと窓のほうを見ると、そこにはベランダの手すりに馬乗りになって、まさに飛び降りようとするモモヨの姿があった。びっくり仰天した伯母が、

「お義母さん、やめてーっ」

と叫んで後ろから抱きとめると、

「家に帰れないんなら、今すぐ死んでやるーっ」

と大暴れしたというのであった。電話口で母親はふびんだといって泣いていたが、私は腹を抱えて大笑いしてしまった。これこそモモヨである。施設に入れられて気持ちも萎え、どんどん弱っていく人だっているだろうに、こういうことができる人間はなかなかいない。ますます私は我が祖母ながら彼女を尊敬した。

強引な手段が成功して、モモヨは伯父の家に戻った。また平穏な日々が戻ってきた。ある日、朝食を食べ終わり、自分の食器を洗って、モモヨは居間のソファでく

つろいでいた。洗い上がった洗濯物を抱えた伯母が、

「干してきますね」

と声をかけた。

「はい、ご苦労さま」

とモモヨも返事をした。伯母が洗濯物を干し終わり、居間に戻ってみると、モモヨが寝ている。少しおかしいなと思ってよく見たら、すでに息絶えていた。

「何と立派な亡くなり方であろう。さすが」

私はぱちぱちと拍手をした。母親は老人施設に入れたりするから、寿命が縮まったのだとまた泣いて怒っていたが、それは仕方がないことである。最後は望んだ家に戻れたのだ。それよりもモモヨの見事な亡くなり方を褒めてあげたい。本を読んでくださった方は、モモヨのだいたいの年齢がわかっているはずで、それでも気にかけて下さるのは、読者の心のなかで元気なモモヨが生き続けているからだろう。残念ながら彼女はすでにこの世にはいないけれども、有名でもない一般人のモモヨのことを、いつまでも覚えていてくださって、孫の私としては本当に心からうれしく、ありがたいことだと感謝の気持ちでいっぱいである。

衝撃のブラ

五十歳にもなると、少しでも不快な気分から遠ざかりたくなる。若い頃は外見優先で、足が痛いのも靴擦れも我慢して、流行の靴を履いたりもした。靴を脱げば足は絆創膏だらけだというのに、先のとがったお洒落な靴を、さも、

「ほーら、私の足にぴったり」

といっているかのように、すまして履いていた。でも現実は惨憺たるものだった。何とか痩せて見られたくて、オールインワンという甲冑《かっちゅう》のような下着もつけたことがあったが、さすがにこれは続けて着るにはあんまりだった。ガードルも絞め殺されるような気がして、一度穿いたが二度と穿かなかった。オールインワンやガード

ルは、必需品という女性もいるが、私にはそうではなかった。体型的には必要だったのかもしれないけれども、精神状態がそれに追いつかなかったのである。でも現実に問題を抱えているのは間違いない。それをクリアするには、弛《たる》みやゆるみをないことにするか、人の目があるときに気合いでひっこめるか、服でごまかすか、痩せるといった手段がある。痩せたいけれどもすぐに挫折する私は、服でごまかし、それでもごまかせそうもないときは、人の目があるときに気合いでひっこめていた。ひっこめている間は、どうも呼吸が浅くなり、ものすごく疲れた。家に帰ってどっと息を吐き、だらーんとするのが何よりの喜びだった。

いくら楽だといっても、ノーブラはどうしてもできなかった。ウーマンリブのときにアメリカの女の人たちは、

「こんなもん、つけていられるか」

とブラジャーをかなぐりすてていたが、人前でとてもあれは無理だ。日本人よりはるかに乳がでかいのに、やっぱりあれはみっともない。

「恥ずかしくないのか」

主義主張は立派だが、羞恥心はどうなっているのだろうかと首をかしげたりした。

ところが年々、何であっても締めつけられるのが苦痛になってきて困り果てていた。私が若い頃に売られていた下着は、まだメーカーが開発途上だったから、どうしても快適とはいい難い部分が多かった。が、比較するものもないので、みな、

「こんなもんだ」

と思いながら身につけていたのだろう。カッティングもフィット感も考えられていなかったし、サイズもありきたりのものしかなかった。私はなで肩で、いつもストラップが肩からずり落ちるので苛立っていた。落ちないようにとストラップをきつく調整すると、今度は肩が凝ってくるし、だけどしないわけにはいかないし、とにかくブラジャーは悩みの種になっていた。

三十代のはじめ、友だちから国産より外国製のほうがカットが違うので、身につけていても楽だときいて、輸入品を扱う店に行ってみた。私は肌が弱いので合わない素材が多く、これまでブラジャーをつけるとかゆくなってきて、風呂からあがるといつも赤くなったところを、

「かいー、かいー」

と掻いていた。ところが外国製だと、木綿のものでレースで大人が身につけるも

のが売られていたのである。国産だと木綿製は中学生がつけるようなものばかりで、大人のものは見かけたことはなかった。早速試着してみると、ものすごく楽なのでびっくりした。国産のものだと、別に私は胸が大きいわけでもなく、ごくごく普通のサイズだが、肩でつっているような感じがするのに、外国製のは肩がとても楽だった。とっても気に入ったが、値段は国産の四倍だった。それでも少しでも快適なほうをと二枚買い求め、それを愛用していた。何年かたって、色違いが欲しくなって、同じ店に行った。同じデザインの色違いが欲しいというと、モデルチェンジがあって、少しパターンが変わったのでといいながら、何点か新しいデザインのものを見せてくれた。試着のとき、なにげなく私がずっと身につけていた、愛用のブラジャーを見たとたん、店員さんは、

「あっ」

といった。いったいどうしたのかとびっくりしていると、彼女は、

「お客様、これはいつお買い求めになられましたか」

と聞いてくる。よくよく思い出すと、四、五年経っていた。すると彼女はとっても悲しそうな顔をして、

「それではこちらが、商売が成り立たなくなってしまいます」

という。私としては大枚をはたいて買ったものだから、死ぬまで着てやるというような勢いだった。破けたのなら繕うし、どこかが修復不可能なくらいダメージを受けるとか、異様に変色したというのなら廃棄するが、そういうこともなかったので、ずっと使い続けていたのだ。

「でも、何の問題もないんですけど」

私がそういうと、彼女は、下着の処分の目安を教えてくれた。それは、サイズ、繊維の割合、メーカー名、洗濯方法などがプリントされた小さなタグがついているけれども、その印刷が読めなくなったら、廃棄のサインだというのである。あらためて私が身につけていたブラジャーをしらべると、どれも、

「これに何か印刷でもされてたんですか」

といいたくなるくらい、文字が見事に消え失せていた。

「あらー」

自分でも「あらー」しかいう言葉が見つからなかったが、店員さんはとっても悲しそうな顔をしていた。

「これは使い込んだっていう程度のものじゃないんですね」

「もうとっくに処分されていい状態です」

「でも問題はないんですけど」

「あります」

店員さんは下着は体のラインを整えるものなのに、これでは体に合わなくなっていて用をなさないというのだ。

「はあ、なるほどねえ」

洋服を着たときのシルエットに神経質な人なら、こまめにチェックするのだろうが、そういうところもないので、穴が開かなきゃいいやという感覚で身につけていた。

「こういう人、他にいました？」

「はい、お一人いらっしゃいました」

衝撃を受けたらしく、彼女の顔は青ざめているように見えた。

（えっ、たった一人？）

ちょっとびっくりしたが、

「はあ、それは困りましたねえ」

とわけのわからぬ受け答えをして、今、身につけているのを廃棄処分にするからと、一枚余分に買った。でも私は家に帰っても、店員さんに衝撃を与えたブラジャーは捨てなかった。普通の四倍の値段で買ったのである。タグの印刷が消えたくらいで、ぽいぽいと捨てられるか。あの店員さんにさえ見られなければ、問題のあるブラジャーだとはわからない。

「もったいない、もったいない」

結局、それから三年使い、さすがに最後はレースに穴が開いたところで、やっと廃棄処分にした。あらためて見ると、相当よれよれになっていたから、私は未練はなかった。それと同時に、さすがにいい材質のものは、長持ちするものだと感心したのである。

それから国産の下着類は顕著な進歩を見せて、いろいろな素材が開発され、シルエットがよりよくなるように向上しているようだ。それでも私はそういうものとは関係がなかった。ひたすら楽なほうへ楽なほうへと流れ、スポーツブラを使っていたからである。スポーツブラは体のラインを作るというよりも、邪魔にならないいために使用するものである。用途は全く違うのだが、形も基本的にランニング型で、付けていてもこちらのほうが気分がいいので、シルエットは無視していた。

ところが先日、使っていたスポーツブラの一枚を廃棄処分にせざるをえない状態になり、補塡する必要が出てきた。そのときたまたま送られてきた通販カタログに、肌の弱い人のための肌に触れる部分がシルク製のブラジャーが紹介されていた。説明を読むとなかなかよさそうなので、一枚注文してみた。私にとっては十年ぶりくらいの、ちゃんとしたブラジャーの購入であった。

届いたブラジャーを試しにつけてみた私は、我が目を疑った。

「どこをどうすればこんなに」

といいたくなるほど、胸が大きく上がっていたからである。ふだんは腹がDカップで胸はBカップなのに、立場は見事逆転している。

「うそ、うそだ、こんな乳」

あまりの変わり様にうろたえるばかりである。

「ただつけるだけで、あのやる気のないゆるんだ乳が、こんな張り切った状態に」

世の中の進歩に驚嘆した。何もつけないときの、気の抜けた乳の状態を自分では

よーく把握している。最初は、

「あーあ、なんでこんな乳に」

と嘆いたりもしたが、今では見慣れすぎて存在や状態にすら気をとめていなかった。垂れたきゃ垂れろと野放しだったのが、しっかりした意志を持ち、

「ここにあり」

と自己主張しているのだ。若い人だったら、

「わあ、すごい」

と喜んで、胸を強調するような服を着たかもしれないが、私の場合は、その逆だった。

「こんなうそ乳では、外を歩けない」

と気分が落ちこんできた。もともとそういう乳であれば、胸を張って歩けるだろうが、私のは現代の技術の向上によってもたらされた「寄せて上げた」乳である。たまたま出かける用事があったのに、雨続きでスポーツブラが出払ってしまい、このブラジャーしか在庫がなくなっていた。仕方なくそれをつけて出かけた。他の人から見たら、別に巨乳でもない普通の乳だが、いつもの離れて下がった乳が、寄

せて上がっているのだから、ものすごく違和感があった。歩いていてもついつい猫背になってしまう。

「実はこんな乳じゃないんです。ほんとはもっと下にあって、もっと小さいんです。うそをついてすみません」

私は正直が取り柄なのに、こんなうそ乳ではお天道様に申し訳がない。大うそつきになった気分である。おまけにブラジャーをとったときの、あのがっくり感といったらない。二重にショックを与えられ、私はもうこんなブラジャーをしないと心に決めた。それと同時に、街なかですまして歩いている女性たちの、妙に上のほうにある乳が、ほとんどうそ乳であることを認識したのであった。

感覚の違い

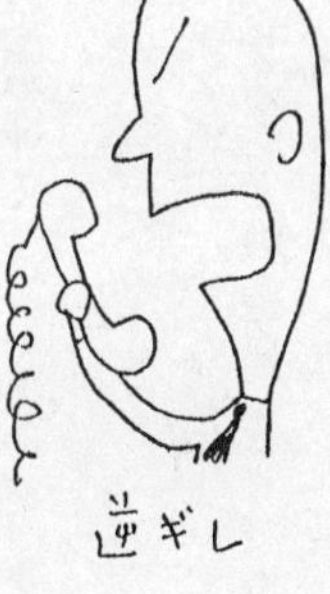

最近、同年輩の友だちと、
「私たち、これから先、若い人と仕事をしていけるのかしら」
と話すことが多くなった。若い人とおばちゃんとでは、育った環境も違うし、考え方も違うから、すべてぴったり一致というわけにいかないのは当然だが、それにしてもあまりの感覚の違いに、驚かされることが多い。
以前、インターネットのプロバイダから、セールスの電話がたびたびあると書いたことがある。あれからもＡＤＳＬに変えろだの何だのと、何度も電話があったのを、

「使えるのだったら、このままでいいです。これ以降は電話をかけてこないでください」

と断り、電話をかけてきた相手の若い女の子も、感じがよく、

「それではそのままでもお使いになれますから」

といってくれた。それで何の変更もしないまま使っていたのであるが、今度は若い男性から電話がかかってきた。電話をかけてくるなといったのに、どうしてまたと不愉快に思い、これまでのいきさつを話しても、

「いやあ、安くなるんですよ。安くなるんですよ」

としつこい。私はネットサーフィンもしないし、パソコンを使うのはほとんど原稿を含めたメールのやりとりと、図書館に接続して検索をするくらいである。そう話しても向こうは、

「はあ、でもたまに長い時間、使ってますよね」

という。たまには何件も検索をしたときに時間がかかることもある。それでも一日に利用する時間は、長くても十五分ほどだと思う。

「だから、今のままでいいんです」

そういっても相手はしつこく、

「でも、たまに長い時間使ってるじゃないですか」

といってくる。そして今のままだとパソコンの作動状態が遅いし、電話がかかってくるとインターネットの接続が切れてしまう。その点もしつこくいい、

「それもとっても不便じゃないですかあ」

とうれしそうだ。たしかに現実はそうだが、ひんぱんに電話がかかってくるわけじゃなし、そんなにぱっぱかぱっぱか作動しなくても、こんなもんだと思えば何でもない。そのように話すと、向こうは突っ込めるこちらの弱点が見あたらなくなってきたらしく、

「安いんですよ。安いんです」

とそればっかりいう。でも私の計算だと、利用時間を考えると、それほど変わらないはずなのだ。とにかくうるさいので、

「前にも女の方にお話ししたんですが、うちはこのままでいいので、電話はかけてこないでください」

というと、それが気に入らなかったようで、彼は逆ギレして、

「へーえ、じゃあ、値段が高くてもいいんだー。へーえ、遅くてもいいんだー。へー」

というではないか。アルバイトか社員か知らないが、いちおう顧客に電話をかけているのである。その態度に私は呆れ、

「ええ、そうなんですよ」

と冷静にいった。そして鼻息だけが受話器から聞こえるなか、彼が沈黙している間に電話を切った。前に書いたときと気持ちは変わらず、このまま続けていって、パソコンが使えないようになったら、パソコンをやめればいいことだ。男性も仕事でしているのだろうが、自分の思い通りの展開にならないからといって、逆ギレするのはどうかと思う。私も会社に勤めていたときに、電話をしていて腹が立つことは山のようにあった。それでも電話中はぐっとこらえ、受話器を置いてから罵ったものだ。彼にはそういうことは頭になかったのだろう。

私も編集者に注意したら逆ギレされた経験があるし、友だちも仕事関係の若い人に注意をしたら、ものすごい顔つきで逆ギレされたのだという。

「私よりも歳が半分の子にそんなことをされたのよ。素直に人の話を聞くっていう

態度が全然ないのね。いったい何を考えてるかわからないわ。仕事ができないくせに自信満々で、プライドの高さだけは一人前以上なのよね」

そんな話をするたびに、

「このような状態で、仕事を続けられるのであろうか」

と一抹の不安がよぎる。まあ、その前にこちらの商品価値がなくなり、お役ご免になればそんなことを心配する必要はないのだが、どうも納得がいかないことが多いのである。

だいたい若い人は謝らない。必要以上に、

「すみません、すみません」

とぺこぺこして、頭の上を嵐が過ぎ去るのを待つような態度も問題ではあるが、あまりに謝らないというのも問題だ。先日も本のチェックをしていて、この状態で印刷に入るという、写真の最終確認をしていたら、明らかに変なところがそここにあった。てぬぐいをたたんで撮影しているのだが、白地のところにたたんだ裏側の色がうつっている。また商品の撮影では商品説明のシールが貼ってある部分を正面にして撮影してあった。私は、こんなことにすら気がつかない編集者やカメラマ

ンの神経を疑った。関わっている人間が何人かいるのに、どうみても変なのに、誰も変だと疑わない。おまけに堂々と、

「これで印刷します」

と持ってくる神経に仰天したのであった。もちろんこんなものを印刷されたらたまらないので、すぐに注意した。私の感覚では明らかに編集者のミスである。当然のごとく、相手は詫びると思っていたのだが、返ってきたのは、

「ご忠告、ありがとうございます」

だった。脱力である。ありがとうございますの前に、いう言葉があるだろうといいたくなった。その話を部下を持つ会社員に話したら、今の若いひとは注意をしても、謝らないんだそうである。ごめんなさい、申し訳ありませんという言葉は彼らの脳みそにはなく、

「検討します」

などというらしい。

飛び込みの仕事で電話をしてくる編集者の中にも、これでちゃんと仕事ができるのかねえと心配になる人が多い。私はスケジュールを決めて仕事をしているので、

飛び込みの仕事が受けられない。仕事の依頼の電話をかけてきた人に、その旨を話していると、

「うん、うん、へえー、忙しいんだー」

と相づちを打ち、こちらが詫びをいって電話を切ろうとすると、

「はい、はーい」

などというのだ。

「友だちに電話をかけてんじゃねえぞ」

といいたくなる。

先日は電話で文庫本の絶版の知らせがきた。別にそのことはいい。出版社によって絶版の基準があるのだろうから、それはビジネスとして当たり前のことである。それを編集者が、

「こちらもがんばって売っていこうとしたのですが、云々」

とぐずぐずいいはじめたので、私はむっとした。そんなありきたりの言葉でごまかすなといいたくなったのである。もっとビジネスライクに話をすればいいではないか。

「じゃあ、いったいどういうことをしてくれたの」

と聞くと、何も答えられない。そういう実のない言葉でごまかそうとする根性が気にくわないのである。私も頭にきたので、

「そういうんだったらいわせてもらうけど、文庫本が絶版になっているのは、あなたの会社だけよ」

といったら、

「他の出版社は絶版じゃなくて、品切れ扱いにしてるだけじゃないですか」

といい返された。まさに、

（喧嘩、売ってんのか）

なのである。そんないいぐさがあるかと腹が立ったものの、もしかしたら、そうかもしれないとちょっと不安になって、在庫状況を調べてみたが、品切れ扱いになっているものはなかった。

「ほーらみろ」

とまた腹が立ってきた。

私ももちろん完璧ではなく、原稿を書いていて、漢字の変換を間違えたり、文章

がおかしくなっているときも多い。言葉の使い方を間違えていることもある。そのたびに校正者や編集者には世話になっているし、彼らに見てもらえるから、少し気楽という部分も多かった。ところが最近はそうはいかなくなってきた。私が若い頃は校正者や編集者が年上だったので、間違いをたくさん指摘してもらった。ところが私も五十歳となると、仕事をする相手は若い人ばかりだ。それで困るのは、もちろんみんながそうではないが、辞書も引かずに自分が思い違いをしているのにもかかわらず、こちらの原稿を間違いだと平気でチェックしてくることだ。彼らは辞書を引けばわかることであっても、そうしない。自分の頭の中に入っている字句には間違いはないと思っているらしく、自信満々で正しい表記の原稿をチェックしてくるのだ。その堂々とした態度には驚くべきものがある。また、最近の若い校正者は、「インターネットによると」、という注釈をつけてくる。商品名の場合、私は現物を見て原稿を書いているのに、彼らのそれを調べる手段はインターネットなのである。いくらその物と関係しているホームページであっても、誤字はありうる。それを全く疑わずに、インターネットが正しさの基準となっているのは、本を作る立場としてもまずいし、人としても問題があるのではないだろうか。

若い人との感覚の差を感じては、将来に不安を持つばかりだ。昨日、友だちが、「大変なことが起こりました」というので話を聞くと、丸一日、外での撮影の仕事があった。みなへとへとになっていて、食事の時間を唯一の楽しみにしていた。お弁当が配られ蓋を開けてみたら、何とご飯と焼きそばしか入っていない。つまり焼きそばをおかずに御飯を食べる、ものすごい弁当だったのである。食事担当の若い男性にとっては、それが食事として成り立つという感覚なのだ。問題なのは、彼らには悪意がないということだ。だからこちらの怒りのやり場がない。感覚の違いはその人個人の育てられ方にもよるし、いくらいってもわからないのではないか。しかしそういうことがたて続けにあると、早く隠居したくなる。そのためにはまだ彼らを相手に働かなくてはならず、泥沼の現実を思い知らされるのである。

新聞はとらない

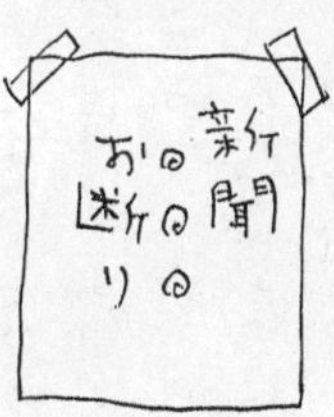

私はここ十年以上、新聞をとっていないのだが、それについて読者の方から、その理由を教えてほしいとお手紙をいただいた。私のような仕事をしていたら、新聞は必需品なのではないかとおっしゃるのである。基本的に私の場合は、文学作品を書いているわけでも、世の中に強く訴えるという作品を書いているわけでもなく、ただおばちゃんがぶつぶつと文句をいっている程度の文章であるので、新聞を読まなくても十分大丈夫なのである。

しかしある年齢以上の方は、新聞は生活に欠かせないものとなっている。新聞をとるのも昔からの習慣になっているのだと思う。私も新聞をやめるときはとても躊躇した。生まれてからそのときまで、家に新聞がない日はなかったから、世の中から取り残されるのではないか、何も知らない人間になるのではないかと思ったけれども、別に問題はなかった。他人から見たら、

「世の中のことを知らないで、困ったわね、あの人」

といわれてるかもしれないが、別に知ったかぶりをするわけでもないから、わからないときは、

「教えて」

と知っている人に聞くことにした。それで十分、生きていけるのであった。当時、新聞が届いていちばん最初に見るのは、訃報だった。知っている方が亡くなられたら、無視できないからである。しかし私がお葬式に参列しなくてはならない方だったら、誰かから連絡がある。私に必要な日常生活での最低限の情報は、新聞からではなくても、おのずとどこかから入ってくるとわかったのである。

肝心の新聞をとらなくなった理由だが、まず新聞を作っている人が好きではない。もちろん新聞社の全員と仕事をしたわけではないし、そんな人ばかりではないのは、十分わかっている。私が関わった一部の人の話で、新聞社という体質はとても変だ

った。出版社とは明らかに違うどす黒いものがあったのだ。

M新聞で連載をはじめたとき、担当者から、

「新聞のエッセイは無難なことばかり書いているのが多いので、何でも好きなように書いてくださいよ」

といわれた。もちろん彼は私の書いたものを読んで、依頼してきたのである。週に一度、原稿を渡してひと月ほどたったとき、彼から電話があって、

「読者から手紙がきて、原稿を載せると不買運動をするといわれたので、書く内容を変えてもらえませんか」

という。だいたいそれまでに渡した原稿の、どこが問題になる内容なのか、理由がわからないのである。

「いったい、どこがいけないのですか」

と聞いても、具体的な内容に関しては何もいわず、

「読者から不買運動をすると手紙がきたので」

というばかりである。

「どこがいけないのかわからないと、これから修正することもできませんね」

そういっても、

「とにかく読者を刺激しない内容にして欲しい」

というばかりだ。

「それでは、どうして私に頼んだのですか」

と聞いても、前の言葉を繰り返すばかりで、らちがあかないのである。私も、はいそうですかと、いうことを聞くような女ではないので、いつも書いているような原稿を書き続けた。すると今度は彼が怒って電話をかけてきて、

「こういう原稿はだめだといってるんだ」

と怒鳴った。

「それでは私をクビにしてください。次の方のご都合もあるでしょうから、あと何回といっていただければ、それに従います」

そういっても、先方から何もいってこなかった。後から同じ編集部の人に聞いた話では、彼は、

「あの人には困った」

と私について愚痴をこぼしていたらしい。

　またN新聞で連載、といっても、こちらは私が怒って、開始してすぐにやめてしまったのだが、ここでもわけのわからない問題が起こった。M新聞のことがあったので、新聞連載のエッセイに関しては、神経質になっていた。事情を全部話し、編集者のスタンスを確認したのである。担当者の答えは、

「安心して書いてください。もし問題が起きたらきちんと対処しますから」

　とのことだった。特にこの連載は、間に出版社が仲介していて、私の担当者からの依頼だった。新聞に連載したものをその出版社で優先的に単行本にするという話だったので、信用していたのである。ところが連載をはじめた第一回目の原稿からクレームがついた。それも新聞社内からである。言葉尻をいちいちとらえて、

「表現を直せ」「文章のいいまわしを変えさせろ」などなど、明らかに問題があるような原稿でもないのに、たった四百字三枚の原稿に、何カ所もチェックが入ってくる。あるときは本当のことを書いているのに、

「こんなことなどあるわけがない」

　などといっていたそうだ。

「本当に失礼じゃないですか」

私が怒ると、担当者は、

「私も問題ないと思うのですが、上のほうからいわれるので、なんとかしてもらえませんか」

と何の役にも立たない。ああ、またかと思いつつ様子を見ながら連載をしていても、全く状況は変わらない。毎回、毎回、理由が理解できないチェックが入ってくる。

社内で人事異動があって、担当者が若い男性に代わった。相手が若いのでいいやすくなったのか、ますますいじめのような原稿チェックがはげしくなってきた。私は担当の若い男性に、

「私の書いている原稿、こんなにチェックされる必要があると思う?」

と聞いた。

「僕は思いません」

「いったい誰が、こういう細かいいじめみたいなことをするの」

と聞くと、ゲラが出たときに社内から内線電話がかかってくる。そして、

「あれ、まずいんじゃないの。直させろ」とか、「あんな原稿、載せていいと思っ

てるのか」

といわれるというのだ。

「その人はどういう人なの。あなたはわかってるの」

もしかしたら彼は、知っているのかもしれないが、

「いいえ、誰だかわかりませんが、上のほうの人だと思います」

という返事だった。そしてそのいじめは、政治、社会面ではなく、家庭面のような他と比べてやわらかい内容のところに、集中的にやられる傾向があるといった。いじめは社内だけで終わらせてほしい。精神的にこんな状態では耐えられないので、私は彼に、

「すぐにやめたいので、次の人を見つけてください」

と頼んで、早々に連載をうち切った。もちろん使用するのに支障がある言葉を使っていたのなら、チェックされても仕方がないが、文章ひとつひとつ拡大解釈される。たとえば、

「菜食の分野などでは、肉やチョコレートなどを食べると、血が汚れるといわれることがある」

と書いたら、その「血が汚れる」に異常な反応を示し、

「この女は、何というひどい原稿を書くのか」

といじめおやじのテンションが爆発したらしい。こんな奴のチェックを受けない原稿など、ないのではないかと思えるくらいなのだ。

だいたい新聞社の人間は傲慢である。自分が社会を動かしているような気になっているのではないか。最近、新聞の取材やインタビューを受けたことがあるが、ゲラを相手に見せない。出版社の担当者に頼まれたので、仕方ないと思いつつM新聞の取材を受けた。もちろん担当者も同席していた。ところがいつになってもゲラが送られてこないので、出版社の担当者に連絡をすると、

「原稿やゲラは見せないそうです」

という。

「あなた、そんなことOKしたの。人に取材を頼んでおいて、ゲラは見せないってどういうこと」

私が怒ったので、あわてて担当者がもう一度、新聞記者に連絡をとったところ、

「見せない規則になっているから」

といわれたという。

「先方がいったことを、そのまま、ああそうなのかと納得してしまって。私も迂闊でした」

出版社の担当者は反省していたが、全く新聞社のそういう理由がわからない。やむをえずS新聞でも取材を受けたことがあったが、同じようにゲラは見せてもらえなかった。彼らは自分の書いた原稿に、絶対間違いがないと思っているのだろうか。現にM新聞には事実誤認があった。もしもこちらが訂正を求めても、

「すみません」

で済まされてしまうだろう。自分たちの記事ができれば、後はどうでもいいのである。

ゲラを見せないなんて、出版社ではまずありえない。そんなことをしたとしたら、明らかに怪しい悪徳出版社である。お馬鹿な編集者のなかにはそういうことをしてしまう者がいるかもしれないが、依頼してきたくせに、ゲラを見せないなんて言語道断なのである。

「原稿やゲラを見せない規則」

っていったい何なのだろうか。スクープ記事とかそういう内容ならわかるけれども、そんな内容でもないのに、どこかおかしいのではないか。おまけに人に手間と時間をかけさせておいて、ノーギャラというのも理解できない。ひどいところは掲載紙さえ送ってこない。人々は自分たちに協力して当たり前という神経なのである。熱心に頼まれて、情け心を出したこちらがいけなかったと、反省している。今後は一切、原稿やゲラを見せるといわない限り、取材は受けるつもりはない。

M新聞で連載しているとき、NTTの態度がひどかったので、それを書いたら、投稿マニアらしきおばちゃんから、

「これを読んだNTTの人が、どんな思いをするかわかっているのですか」

と怒りのお手紙が来た。どんな思いも何も、組織のなかにそういうふとどきな人がいるのだから、反省して欲しいと思ったのである。こういったいかにも自分が立派ないい人だと勘違いしている、新聞に投稿するおばちゃんも嫌いである。勧誘員も嫌いだし、とにかく新聞には関わりたくない。これはごくごく私的なことで、新聞の内容がどうのこうのなどという問題とは違う。でも私にとっては許せない問題である。このような理解不能の人間が関わっているものを、お金を出して読む気に

はならない。だからこれからも新聞をとるつもりはないのである。

挨拶してますか

夕方、郵便を投函しに外に出たら、近所の家に新聞配達をしている青年の姿を見かけた。するとドアが開いてその家の、四十代半ばとおぼしき奥さんが出てきたのだが、青年と奥さんの態度を見て、私はびっくりした。自分の家に新聞を配達してもらっているのを目の当たりにしているのに、また配達している家の奥さんと顔を合わせたというのに、二人とも会釈もしないし無言なのである。何かトラブルでもあるのかと思ったが、双方、無表情だ。毎日、雨の日も風の日も配達してくれるのだから、年上の大人のほうが声をかけてあげてもいいと思うのに、「こんにちは」「こんばんは」もない。もちろん「ご苦労さま」もない。

「ええっ、今ってこういう状況なの」

私は青年がバイクで走り去った後、新聞を取って家に入っていった奥さんの姿を、何度も振り返ってしまった。

私は、青年を見ても知らんぷりでいた奥さんの心理を探ってみた。彼にとって当たり前の仕事をしているのだから、言葉をかける必要などない。誰に対しても無愛想で挨拶をしない性格。自分の得になる人とそうでない人をはっきりと分けていて、彼に挨拶をしても得をしないので無視している。青年を自分より立場が下だと見下していて、私のようなすばらしい女が下々の者に挨拶をする必要などない。百歩譲って、考え事をしていて、彼の存在に気がつかなかった。しかしどう考えても、あれはいかん。若い人は礼儀を知らないから、挨拶がちゃんとできない人も多い。私は挨拶がきちんとできない人間は、ろくな人間ではないと思っているので、その点でいったらその奥さんは、私の分類でいうとろくな人間ではない部類に入る。若い人なら、困ったもんだで済むけれども、彼女は妻であり母なのだ。

「どうしてこんな世の中になったのかねえ」

ほとんど私の気分は横町の小言ばあさんである。私が子供のときは、ちゃんと挨拶という礼儀が存在していた。最近は昭和の暮らし全般に目が向けられているようで、当時の食べ物や生活がクローズアップされることが多くなった。若い人が興味を持ってくれて、日本家屋に住むとか、きものを着て生活してみるとか、商店街で買い物をするとかしていると聞くと、誠に喜ばしく、まだまだ捨てたものではないなと思う。生活だけではなく人として学んでおくべき態度も、同じように引き継いでもらいたいなあと思う。

当時はスーパーマーケットもなく、個人商店で会話をしながら買い物をして、東京では裕福な家は別として、ほとんどの家はそれほど広くなく、子供に個室を与えるなんて頭っから考えにないし、室内ではいつも親の目の届くところに子供がいた。たまに部屋にいたのが姿が見えなくなり、探したら便所に落ちていたが、汲み取り直後だったから被害が最小限で済んだとか、そんな話も聞いた。話はあっという間に町内を疾走し、みんなが知るところとなった。買い物に行った先、行く途中で誰かと必ず話し、どこに住んでいるのかわからないけれど、道でよく顔を合わす人とは、会釈をしたものだった。母親と一緒に買い物に行って、見知らぬおばさんと挨拶をするので、

「知らないのに、どうして挨拶するの」

と聞いたら、

「だって、道でよく顔を合わせるから」

というのが答えだった。それで私は、どこに住んでいるのか、何をしているのか知らない人でも、道でよく顔を合わせる人とは、挨拶をするものなのだと知った。

通学路には、何で毎日そこにいるのかわからないけれど、角に立って、

「帽子が曲がってる」「シャツが出てる」「後ろを振り向きながら歩くんじゃない」

といちいち文句をいうじいさんがいて、そのときは、うるさいじじいと煙たく感じていたが、彼も日々子供たちをチェックしてくれていたのだろう。大人たちは他人の子供も平気で注意していたし、親より厳しい人もいた。自分の行動範囲の人々と接するなかで、さりげないチェック機能が日々作動していた。そんな状況がこの物騒な世の中では復活する必要がある。今は目の前にいる多少なりとも自分に関わりのある人に対してでさえ、無視したり無言だったりするくらいだから、他は推して知るべしなのである。

喋る自動販売機が登場したとき、

「どうしてあんなものを作るのか、気が知れない」

と呆れていたが、

「これだったらまだ、誰にでもきちんと正しく『ありがとうございました』といってくれる自動販売機のほうがましだ」

と思うようになった。ロボットのアシモくんなど、見ているといじらしくて涙が出そうになる。ちゃんと他者に対して礼儀正しいではないか。人間よりもずっとまともである。住人がすべてアシモくんの国だったら、刺激はないかもしれないが、人間のお手本のような生活が営めるだろうとつくづく思う。

年下のひとり暮らしの女性と話していたら、

「引っ越したいんです」

という。理由を聞いたら、二階に住んでいる人が、何をされたわけではないのだが不気味だという。彼女が住んでいるのは上下一世帯ずつのアパートで、隣の一軒家に大家のおばあさんが住んでいる。二階の住人の男性は彼女が入居した十年前から住んでいて一人暮らしだ。彼についてあれこれ大家さんに聞くのも気が引けるので、そっと観察していた。年齢は四十代半ば、地味な服装ではあるが乱れてはいない。昼過ぎからスーツを着てでかけ、夜遅くに帰ってくる。

「暴れるとかそういうことはないんです。逆に物音がほとんど聞こえないのが怖いんです」

鉄骨のコーポなので、それほど防音性が高いわけではないから、彼が在宅のときは気配を感じるものだ。しかしテレビ、ラジオ、音楽など、そういった類の音は一切聞こえてこない。テレビやラジオが必要ではないという人もいるから、大音響で音楽を聴くよりは近所には迷惑をかけないだろう。

「とにかく静かは静かなんですけど、あまりに音がしないので。洗濯機の音も聞いたことがないし、洗濯物を干しているのも、私が引っ越してから十年の間に、一度も見たことがないんです。もしかしたら私が出張していたときに、干していたのかもしれませんが」

「コインランドリーを使っているのかしら」

「さあ、そうかもしれませんけど」

とにかく彼が部屋にいてもいなくても、しーんとしている。親族、友だち、ましてや女性が訪ねてきた気配も全くない。

「うーん、天涯孤独でテレビもラジオも音が出るものはみな嫌いな人なのね。何か修行でもしてるのかしら。お坊さんだってラジオくらいは聴くよね」

「そうですよね。とにかく人の出入りも全くなくて。いちばん不気味なのが、顔を合わせても挨拶されたことがないんです」

たまたま彼の外出と彼女の出勤時間が重なり、外階段の下で顔を合わせたりすることがある。

「こんにちは」

と彼女が挨拶をしても俯いたまま、さささーっと歩いていってしまう。

「それはまずい！」

一気に私の彼に対する評価は下がった。

「もしかしたら指名手配中の犯人とか、地下活動をしている人なんじゃないの」

「怪しいですよね。あまりに心配になったので、大家さんにそれとなく聞いてみたら、コンピュータ関係の会社に勤めてるらしいんですけど」

「コンピュータ関係っていったら、どうにでもなるものね。家でパソコンをいじってたって、いおうと思えばコンピュータ関係っていえるもの」

「そしてもうひとつ怪しいことがあるんです」

その挨拶をしない謎の男に、俄然、興味がわいてきた。

「ゴミを出したのも見たことがないんです。うちのアパート専用の置き場が前にあるんですけど、いつもそこにあるのは、私のゴミだけなんです」

「じゃあ、あなたが住んで十年間、その男の人は一度もゴミを捨ててないの」

「私が知ってる限りでは。さっきいったように、私が出張している間に、山のように出していたかもしれませんが」

「うーん、ますます怪しい」

テレビ、ラジオ、CDも聞かず、洗濯もせずゴミも出さない生活。究極のエコロジー生活をしていて、地球環境的には暮らしぶりを褒められるべき人物であるかもしれないが、やっぱり挨拶をしないのはいちばん怪しい。

「あなたの直感としてはどうなの」

「普通に挨拶でもしてくれたら、少しは安心するんですけど。あ、そうだ、思い出した。今まで二、三回、夜中に、『うー』ってうなっているのを聞いたことがありました」

いったいどういう人なのだ。腹でも下したのだろうか。

「上下二世帯だけなので、何かのときにはお互いに助け合わなくちゃいけないからと思ったんですけど。実は二階の人がいちばん怖いんです」

それから彼女は引っ越してしまったので、謎の男の情報は途切れてしまった。私としてはその後を知りたかったのだが、彼女が彼の動向をチェックしているうちに、よろしくないことに巻き込まれることだって、ないとはいえない。残念ながら今はそういう世の中になってしまった。奈良県で幼い女の子が殺害された後、その付近では自分の家に子供がいるいないに拘らず、大人たちが子供の登校、下校の時間に、姿を見かけたら声をかけたり挨拶をするようにしたという。人に関心がないと、見知らぬ人、見慣れない人に鈍感になる。繁華街では仕方がないが、今はのどかな住宅地でもそれがわからないような状態になってしまった。

昔は近所の人がお互いにそれとなくチェックしながら暮らしてきた。それがおせっかいだの、他人の生活に口を突っ込むプライバシーの侵害、人権侵害などという問題になって、皆、素知らぬ風になってしまったが、限度はあるけれどもやはり気にかけるというのは必要なことだ。顔を合わせたら挨拶するくらいは、最低限の礼儀ではないか。それができない人間は、変だと思われても仕方がない。挨拶すらできなくなった人は悲しい。犬やネコだって何度も顔を合わせているうちに、挨拶くらいするぞ。このまま挨拶もできない人間が増えていくと、人の心は荒《すさ》みつくして、人間として終わりかもと、暗い気持ちになるのである。

イグチさんではなく、イノウエさん

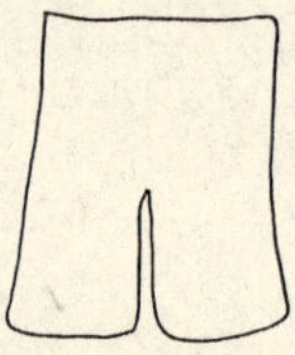

電車に乗っていたら、制服を着てⅢCというバッジをつけた男の子三人が乗り込んできた。高校三年生にしては幼いので、中学校の三年生らしい。髪型も服装も放課後だから多少ゆるんではいるものの乱れてはおらず、きちんと育った男の子たちのように見えた。三人はドアのそばに立ったまま、雑談を続けていた。何となく聞いていると、小柄な眼鏡くんが、

「ナカムラさんってさ、どう思う?」

といった。

「ナカムラさんねえ」

そういわれた剛毛くんと長身くんは、しばらく黙っていたが、

「まあ、いいんじゃないの」

と答えた。

（ナカムラさんって、女の子のことかしら）

同級生の女の子に対しては、ずいぶん丁寧な口をきく。今は、女の子のほうが言葉遣いがとても悪く、「おい、お前」だの「てめえはよー」などといい、男の子のほうが、「そうですか」などといったりするらしい。それにしても放課後の電車のなかでも、さんづけで話したりするのかなと聞いていると、次は、

「じゃあさ、イノウエさんはどうかな」

と眼鏡くんがいう。

「イノウエさんはいいんじゃない」

「ああ、イノウエさんはいいよ」

剛毛くんも長身くんも、イノウエさんを評価している。そんなに性格のいい美少女なのかしらとまた耳をそばだてていると、

「イノウエさんはさ、おばさんとしての年相応の落ち着きと品があるじゃない」

と長身くんがいった。おばさんとしては、聞き捨てならない話題である。

「そうそう、品がある」

剛毛くんも無条件で同意である。彼らは女の子ではなく、おばさんの品定めをしているようなのである。もっと他に「モーニング娘。」とか「石原さとみ」とか「ゲームの新しいの」とか、話題はたくさんありそうなのに、おばさんがテーマなのである。

(もしかしてマニアなのか?)

彼らがいっているおばさんという対象年齢が、いくつなのかははっきりしないが、自分の母親と同年輩の四十代前後といったところだろうか。もしそれ以上だったらそれはある種のマニアであるので、特殊性を帯びる。まさか三人が揃いも揃ってマニアとは思えないので、自分たちの周囲のおばさんについて、いいたいことがあったのであろう。しかしその理由がわからない。気になる女の子の話をしたら興奮もするだろうし、ゲームについてだったら心が躍るだろうが、おばさんの話をしても、彼らには何の面白さ、楽しさもないような気がする。でも彼らはあえて、おばさんの品定めをしている。先生だったらさんづけで呼ばないだろうから、ナカムラさんとイノウエさんは学校の職員という可能性が強いと、推測しながら私は、耳をそばだてた。

「けけっ」

突然、剛毛くんが笑った。

「ねえねえ、イグチさんは？」

そういったとたん、あとの二人は、

「うわあ」

と声をあげてのけぞり、

「ありゃあ、だめだ、あれは」

と笑うのだった。私は彼女と同じか、それ以上の先輩のおばさんとして、若い彼らに、「ありゃあ、だめだ」と太鼓判を押されてしまった、イグチさんが気になり、また気の毒になってきた。彼らがそこまでいうのは、太っているとか、厚化粧などというのとは別の、根本的な問題があると思われる。イノウエさんの評価とは正反対という点を考えると、

「年相応の落ち着きがなく品もない」

ということになるのではないか。イグチさん本人にも責任は多々あるのだろうが、

(意外とおばさんも見られてるのね)

と私は思わず姿勢を正してしまったのであった。

私は街を歩いていて、まず目が行くのはイヌ、ネコ、鳥などの動物、次に同年輩かそれ以上の女性、次が若い女性である。男性にも目がいくことはいくが、特別、うれしくなるようなこともないので、本能的にただの物体として目に映るようになってしまったらしい。五年に一度くらい、目を惹かれる男性を目撃し、一日、ちょっとうれしい気分になることもあるが、それで終わり。同年輩かそれ以上の女性に目がいってしまうのは、今の自分とこれからの自分の参考にするためである。値段の高い服を着ているとか、指にいっぱい指輪をはめているというのではなく、たたずまい、ふるまいのお勉強なのである。

ある日、駅で電車を待っていたら、向かい側のホームにいた、七十代後半と思われる女性が、すっくと立った。頭にはバラのお花が三つついたトーク帽をかぶり、スーツにリボンのついたヒールの靴と、どこか気張ったおでかけといった姿である。彼女が座っていたのは、冷暖房完備の素通しの壁の待合室で、年輩の方々や、根性

のない若者たちがそこで電車を待っているのである。その女性はちょうど私の真正面にあたるところにいたので、何気なく見ていると、彼女はスーツのジャケットを脱ぎはじめた。待合室の中は暖房が効いているので、何とも思わずに眺めていた。ところが彼女は、その次に下に着ていたブラウスも脱ぎはじめた。びっくりして思わず周囲を見てみたが、日中の急行が停まらない小さな私鉄駅なので、ほとんど客はいない。ところが待合室にはもう一人の客がいた。いかにもクラブ通いをしていますといった風体の、二十歳くらいの青年が、椅子のはじっこに座っていた。

（彼はいったいどうするのかしら）

私は男女の行動が気になって、今後の展開を見守っていた。女性は椅子の上に置いたジャケットの上に、脱いだブラウスを置いた。その下に着ていたのは、ピンク色とも肉色ともつかない、妙な色合いの長袖シャツだった。すると今度はその長袖シャツを、まるで銭湯の脱衣所にいるかのようにたくし上げ、それも堂々と脱いだ。下には同じ妙な色合いの半袖シャツをお召しであった。鏡がないので御帽子のチェックはできないと判断したのか、御帽子はかぶったままであった。私としては青年が気づきませんようにと念じたのであるが、女性がシャツを脱いだ瞬間、室内で行われている異様な雰囲気に気がついたのか、青年がふと彼女のほうに目をやった。そして次の瞬間、目を丸くして固まってしまったのである。女性は青年がいるかいないかなどということには頓着せず、今度はスカートをぐいっとまくりあげた。驚いて見ていると、厚手のストッキングの上に穿いていた、これまたシャツと同じ妙な色合いの膝上防寒パンツを堂々とお脱ぎになった。その下にも同じ長さの茶色の防寒パンツを穿いておられた。もちろんバラの花がついたきれいな御帽子はかぶったままである。すでに青年はおのれの存在を自ら消しているかのように、正面に向き直り、じっと俯いていた。

彼女はゆっくりとブラウスを着て、ジャケットを羽織り、脱いだシャツとパンツをぐいぐいとバッグに押し込んで、到着した電車に乗っていった。きっと彼女は寒くなったら、また同じように人前でも平気で、シャツとパンツを身につけるんだろうなあと考えた。

どうしても下に着ているものを脱ぎたくなったとき、いちばんてっとりばやいのはトイレだろう。しかしどこでもいいわけではなく、ホテルやデパートのトイレでないと、物を置くにも衛生的にちょっと不安だ。たしかに駅の待合室は暖房が効いているし、部屋のようなものだが、透明なのである。人目があるのである。彼女からすれば、室内にいた青年は自分の孫くらいの年齢なので、

「こんな子供の前で恥ずかしくなんかないわ」

と思ったのかもしれない。壁が素通しであっても、視力の関係で自分が見えないから、向こうからも見えないはずと、全然、頭になかったのかもしれない。

「この周辺にいる人たちは、みんな私よりも年下だから、平気」

と剛胆に考えたのかなとも思ったが、とってもシンプルに、

「暑くなっちゃった。脱いじゃお」

と、まわりのことなど考えずに行動に出たという結論に達した。もしもあの場に、彼女と同年輩の女性や男性がいたら、いったいどうしただろうか。それでも脱いだとなったら、身内が医者に相談したほうがいいような気がする。

　私も五十歳になって、若い頃にはなかった、歳をとってからの問題行動を感じるようになった。昔は鼻水が出そうになると、あわててトイレにかけこんでいたが、今はそこまで我慢せずに、鼻の下にティッシュやハンカチを当てて防御する。人に見られることよりも自分の快適さを優先してしまうようになった。これがひどくな

ると、人前で平気でシャツもパンツも脱げるようになってしまう。自分が若い頃は、人を押しのけて突き進んできたり、自分勝手な振る舞いをする年寄りを見て、

「なんて失礼な奴らなんだ」

と軽蔑していたが、中高年といわれる年齢になってくると、彼らの気持ちも少しずつ理解できるようになった。自分の身を守るためには、他人なんかかまっていられなくなる。若い頃は全方位的にアンテナが働くけれども、どんどん意識できる範囲が狭まっていく。本人に悪意はなく、気づかない場合も多い。もちろん性格が悪くて失礼な年寄りもいるけれど、みながみなそうではない。年寄りだって生きなくてはならないから、おのずとそうなってしまうのである。

シャツとパンツを脱いだ女性の気持ちもわかるが、やはり中学生が評価した、イノウエさんのようになりたいものである。私は子供もいないし、周囲に厳しい目で指摘する人もいないから、他の人以上に気をつけなくてはならない。人生の後半に突入したのだから、きちんと物事が判断できる目を持った年下の人に、認められるような人間になろう。

「イグチさんではなく、イノウエさんに」

これがこれからの目標である。年上の人は年下に甘いが、年下は年上に厳しい。体脂肪、未だ払い終わらない実家のローン、かかとがかっさかさなど、私の周辺には問題がてんこ盛りになっているのであるが、見ず知らずのイノウエさんを想像しながら、

「あやかりたい、あやかりたい」

と揉み手をする毎日なのである。

文庫版あとがき

この本ではぶつぶつと文句ばかりをいっているが、現在でもあまりに、

「何だよ」

といいたくなるような事柄が多くて、ぶつぶつは絶えることがない。文句をいわず怒らずに暮らせないのは、人として未熟なのではと思ったりもしたが、やはり、

「ふざけるなよ」

といいたくなる事柄が、次から次へと出てくる。

自分自身の年金問題はまだ先のように思っていたら、私のところにも、ねんきん特別便が送られてきた。以前、年金の支払いについて、正式名称は忘れたが、

「これでいいですか」

といった内容のおうかがいの書類が来たとき、新卒で就職した広告代理店の厚生年金が抜けていたので、その旨を書き加えて返送した。ところがねんきん特別便を見たら、私も忘れ去っていた、若い頃の国民年金の支払い分が記載されていた。ニュースになっているのは、社会保険庁が勝手に書類上で給料の額を低く改ざんしていたり、調べればわかるような簡単なミスを連発したりで、受給者に対して不親切といった程度の問題ではなかった。受給者が覚えているのに、役所がしらばっくれている例や、犯罪に等しいようなものもあった。しかし私の個人的な年金の件に関しては、本人すら忘れているものを探し出してくれて、

「よくやってくれた」

と感謝している。

この話を年下の知人にすると、

「ふん、役所がそのくらいのことをするのは当たり前ですよ。その程度で褒めてやっちゃいけません」

といわれた。彼女は会社に勤めているときは、厚生年金を払っていたが、フリーランスになってからは十年以上、国民年金を払ってこなかった。昨年結婚したのを

機に、それまでの未払いの分を支払おうと、役所に問い合わせの電話をかけたら、電話に出た担当の女性から、

「まあ、国民として年金を支払ってないなんて信じられないわ。四十歳にもなってどういう神経なの」

等々、罵倒されたのだという。社保庁の不手際が次から次へと明るみに出てから、役所の態度がとても低姿勢になったという話は耳にしたが、彼女が住む埼玉県の某役所の女性は、傲慢そのものだったらしい。

「親にもいわれないような、ひどいいい方をされて、めっちゃくちゃ腹が立ちました」

彼女は私のように短気ではなく、おっとりとした性格の穏やかな人だ。そんな彼女があれだけ怒るなんて、相当にひどかったのだと思う。私も話を聞いているうちに、腹が立ってきて、

「泣き寝入りしないで、ちゃんと文句をいってやった？」

と聞くと、

「しっかり名前を聞いてやりました」

といい、むかつきながらいったん電話を切り、再び役所に電話をかけたのだという。

「さっき年金のことで問い合わせをしたら、窓口の××さんという女性に、大変不愉快な思いをさせられたので、上司にこの電話をつないでほしい」

そう伝えると、取り次ぎの女性はとても恐縮して、上司につないでくれた。知人は、

「ああいう失礼な人間を、窓口にしておくのは間違いです」

ときっぱりといってやった。電話に出た上司の男性も恐縮しきりで、

「せっかくご連絡いただいたのに、大変申し訳ありませんでした」

と丁寧に詫びたという。

「その後、年金を支払いに行って、失礼な××がどんな顔をしているのかと探したけれどいませんでした」

たまたま休憩中だったのか、担当をはずされたのかはわからないが、なかには世の中がどうなっているのか把握できない、こういう公務員がいまだにいるのも事実なのだ。

食品偽装にも腹が立つ。賞味期限切れのものを再利用して出したとか、超有名料亭が他の客の余り物を別の客に出したとか、情けなくなるような話がたくさんあったが、最近では、食べてはいけないもの、というか、はっきりいって毒が混入している食品が流通しているので驚いてしまった。発端は中国製の冷凍餃子で、

「中国製に気をつければいいのね」

と思っていたが、それから出るわ出るわ、しまいには日本でも糊に使うための事故米や汚染米を、平気で食用として卸していた業者もいたりして、びっくりした。食べ物を扱っている人間が、食べてはいけないものを食べ物として売るなんて、どうしてそんな神経になれるのか不思議でならない。卸業者は、

「会社の経営が不振だから」

といっていたらしいが、自分さえよければいいという、いい年をした人間が多すぎる。それも人間にとって大切な食の部分を担っている人がそうなのだから、呆れ果てるしかない。政府も売りっぱなしで追跡調査もせず、それでいいのかといいたくなる。なかには知っていて食品の製造に使った会社もあったりして、みんなでやれば怖くないが、はびこっているのだ。

不安感をあおらないために、そういう食品問題が露呈すると、

「健康被害はありません」

というけれど、すぐ出たらそれこそ大変だし、また今すぐ出ないから危険なのである。乳製品に混入していたメラミンが危険な数値の何十分の一であったとか、何とかppmでは大丈夫などといっているが、そういう異物は本来、ゼロではなくてはいけないのだ。微量だから食べても平気という問題ではないと思う。といってもたしかに流通している食品の多くには、見栄えや食感をよくするために、

「えっ、そんなものが」

と驚くような物が添加されているのは事実だ。農薬だって危険なのはわかりきっているが、使用せざるをえない現状がある。が、消費者が安く、見栄えもよく、食感もよく、日持ちがするものを望むと、そうなってしまうのだろう。

年金とか食品とか、生活していく面で基本になる部分に問題が出ているのが、ちょっと恐ろしい。

「私も人生の半分を過ぎたわ」

などと思っていたのだが、それは寿命が百歳と仮定しての話で、よくよく考える

とリアルに考えられる寿命から計算すると、すでに三分の二が終わっていた。羊羹でも残りが二分の一と三分の一なのとでは、大違いである。急に尻に火が点いた気分になった私ではあるが、これからの三分の一の人生も、きっとぶつぶついいながら過ごしていくような気がしているのである。

本書は二〇〇六年二月、筑摩書房より刊行された。

モモヨ、まだ九十歳　群ようこ

東京で遊びたいと一人上京してきたモモヨ、九十歳。好奇心旺盛でおシャレな祖母の物語。まだまだ元気な(その後のモモヨ)を加筆。（関川夏央）

一葉の口紅 曙のリボン　群ようこ

美人で聡明な一葉だが、毎日が不安だった。近代的なお嬢様、曙にも大きな悩みが……。二人はなぜ書くことに命をかけたのか？　渾身の小説。（鷺沢萠）

ビーの話　群ようこ

わがまま、マイペースの客人に振り回され、〝いい大人が猫一匹に〟と嘆きつつ深みにはまる三人の女たち。猫好き必読！　鼎談＝もたい・安藤・群。

オトナも子供も大嫌い　群ようこ

幼稚園は退園処分、小学校は遅刻常習。険悪なムードの両親やコドモっぽい同級生を尻目に、ビートルズに熱をあげるちょっとニヒルな少女の物語。

笑ってケツカッチン　阿川佐和子

ケツカッチンとは何ぞや。ふしぎなテレビ局での毎日。時間に追われながらも友あり旅ありおいしいものありのちょっといい人生。（阿川弘之）

わたしの日常茶飯事　有元葉子

毎日のお弁当の工夫、気軽にできるおもてなし料理、見せる収納法やあっという間にできる掃除術など。これで暮らしがぐっと素敵に！（村上卿子）

人生相談万事ＯＫ！　伊藤比呂美

恋、結婚、子育て、仕事……体験豊富な著者が答える笑って元気になれる人生相談。文庫版付録として著者が著者自身の悩みに答える。（枝元なほみ）

カラダで感じる源氏物語　大塚ひかり

エロ本として今なお十分使える『源氏物語』。リアリティを感じる理由、エロス表現の魅力をあますず暴き出す気鋭の古典エッセイ。（小谷野敦）

源氏の男はみんなサイテー　大塚ひかり

『源氏』は親子愛と恋愛、「愛」に生きる人たちの物語だった。それは現代の私たちにも問いかける。幸せって何？　と。（米原万里）

沈黙博物館　小川洋子

「形見じゃ」老婆は言った。死の完結を阻止するために形見が盗まれる。死者が残した断片をめぐるやさしくスリリングな物語。（堀江敏幸）

Land Land Land　岡尾美代子

旅するスタイリストは世界中でかわいいものを見つけます。旅の思い出とプライベートフォトをA(airplane)からZ(zoo)まで集めたキュートな本。

わたしは驢馬に乗って下着をうりにゆきたい　鴨居羊子

新聞記者から下着デザイナーへ。斬新で夢のある下着を世に送り出し、下着ブームを巻き起こした女性起業家の悲喜こもごも。（近代ナリコ）

名短篇、ここにあり　北村薫　宮部みゆき編

読み巧者の二人の議論沸騰し、選びぬかれたお薦め小説12篇。となりの宇宙人／冷たい仕事／隠し芸の男／少女架刑／あしたの夕刊／網／誤訳ほか

名短篇、さらにあり　北村薫　宮部みゆき編

小説って、やっぱり面白い。人間の愚かさ、不気味さ、人情が詰った奇妙な12篇。華燭／骨／雲の小径／押入の中の鏡花先生／不動図／鬼火／家霊ほか

FOR LADIES BY LADIES　近代《こだい》ナリコ編

女性による、女性についての魅力的なエッセイの数々から「女性と近代」を浮かび上がらせる、「おんなの子論」コレクション。

感光生活　小池昌代

日常と非日常との、現実と虚構との間の一筋の裂け目に鋭い視線をそそいだ15の短篇。川端賞受賞作家の逸品。（マイケル・エメリック）

クラクラ日記　坂口三千代

戦後文壇を華やかに彩った無頼派の雄・坂口安吾との、嵐のような生活を妻の座から愛と悲しみをもって描く回想記。巻末エッセイ＝松本清張

神も仏もありませぬ　佐野洋子

還暦を迎えた、もう人生おりたかった。けれど春のきざしの蕗の薹に感動する自分がいる。意味なく生きても人は幸せなのだ。（長嶋康郎）

趣味は読書。　斎藤美奈子

気鋭の文芸評論家がベストセラーを読む。『大河の一滴』から『えんぴつで奥の細道』まで、目から鱗の分析がいっぱい。文庫化にあたり大幅加筆。

文章読本さん江　斎藤美奈子

「文章読本」の歴史は長い。百年にわたり文豪から一介のライターまでが書き綴った、この「文章読本」とは何ものか。小林秀雄賞受賞の傑作評論。

色を奏でる　志村ふくみ・文　井上隆雄・写真

色と糸と織――それぞれに思いを深めて織り続ける染織家にして人間国宝の著者の、エッセイと鮮かな写真が織りなす豊醇な世界。オールカラー。

語りかける花　志村ふくみ

染織の道を歩む中で、ものに触れ、ものの奥に入って見届けようという意志と、志を同じくする表現者たちへの思いを綴る。（藤田千恵子）

遠い朝の本たち　須賀敦子

一人の少女が成長する過程で出会い、愛しんだ文学作品の数々を、記憶に深く残る人びとの想い出とともに描くエッセイ。（末盛千枝子）

ことばの食卓　武田百合子　野中ユリ画

なにげない日常の光景やキャラメル、枇杷など、食べものに関する昔の記憶と思い出を感性豊かな文章で綴ったエッセイ集。（種村季弘）

遊覧日記　武田百合子　武田花写真

行きたい所へ行きたい時に、つれづれに出かけてゆく。一人で。または二人で。あちらこちらを遊覧しながら綴ったエッセイ集。（巌谷國士）

性分でんねん　田辺聖子

あわれにもおかしい人生のさまざま、また書物の愉しみのあれこれ。硬軟自在の名手、お聖さんの切口がますます冴えるエッセー。（氷室冴子）

恋する伊勢物語　俵万智

恋愛のパターンは今も昔も変わらない。恋がいっぱいの歌物語の世界に案内する、ロマンチックでユーモラスな古典エッセイ。（武藤康史）

オクターヴ　田口ランディ

「シは有限の極み。上のドは神の世界。知覚できないものの世界をガムランが開く」。バリを舞台とした傑作長篇小説を大幅改稿！（宮台真司）

気持ちよく暮らす100の方法　津田晴美

面倒な日々のことを、楽しみや喜びに置き換える方法、ものとの付き合い方と気持ちのよい暮らし方を提案するエッセイ集。（小倉エージ）

ムーミン谷のひみつ　冨原眞弓

子どもにも大人にも熱烈なファンが多いムーミン。その魅力の源泉を登場人物に即して丹念に掘り起こす、とっておきのガイドブック。イラスト多数。

家内安全 夏石鈴子

彼しか与えることのできない栄養で、わたしの毎日は作られている……。「日常」の裏に潜む心の揺れを、まっすぐに描く恋愛小説集。（南Q太）

ユーモレスク 長野まゆみ

弟は隣家から聞こえてくるユーモレスクが好きだった。行方不明の弟を不在の中心に過去と現在が交錯する。書き下し短篇も新たに収録。（佐藤弓生）

フランクザッパ・ストリート 野中柊

ここでは、誰もがまんなんてしない。生きたいように生きるだけさ！ 動物とニンゲンたちが繰り広げる、愛と友情と食欲の物語。（大島真寿美）

辰巳屋疑獄 松井今朝子

大豪商として知られた大坂の炭問屋辰巳屋の跡目争いが、なぜ死罪四人を出すまでになったのか。大岡越前が最後に手がけた大疑獄事件を描く長篇小説。

ベスト・オブ・ドッキリチャンネル 森茉莉　中野翠編

週刊新潮に連載（79～85年）し好評を博したテレビ評。一種独特の好悪感を持つ著者ならではのユーモアと毒舌をじっくりご堪能あれ。（中野翠）

貧乏サヴァラン 森茉莉　早川暢子編

オムレット、ボルドオ風茸料理、野菜の牛酪煮……。食いしん坊茉莉は料理自慢。香り豊かな〝茉莉ことば〟で綴られる垂涎の食エッセイ。文庫オリジナル。

谷中スケッチブック 森まゆみ

昔かたぎの職人が腕をふるう煎餅屋、豆腐屋。子供たちでにぎわう路地、広大な墓地に眠る人々。取材を重ねて捉えた谷中の姿。（小沢信男）

パンツの面目ふんどしの沽券 米原万里

キリストの下着はパンツか腰巻か？ 幼い日にめばえた疑問を手がかりに、人類史上の謎に挑んだ、抱腹絶倒&禁断のエッセイ。（井上章一）

言葉を育てる 米原万里対談集 米原万里

この毒舌が、もう聞けない……類い稀なる言葉の遣い手、米原万里さんの最初で最後の対談集。VS.林真理子、児玉清、田丸公美子、糸井重里ほか。

湯ぶねに落ちた猫 吉行理恵　小島千加子編

「猫を看取ってやれて良かった」愛する猫たちを題材にした随筆、小説、詩で編む、猫と詩人の優しい空間。文庫オリジナル。（浅生ハルミン）

ちくま文庫

世間《せけん》のドクダミ

二〇〇九年一月十日　第一刷発行

著　者　群ようこ（むれ・ようこ）
発行者　菊池明郎
発行所　株式会社筑摩書房
東京都台東区蔵前二－五－三　〒一一一－八七五五
振替〇〇一六〇－八－四一二三
装幀者　安野光雅
印刷所　三晃印刷株式会社
製本所　株式会社積信堂

乱丁・落丁本の場合は、左記宛に御送付下さい。
送料小社負担でお取り替えいたします。
ご注文・お問い合わせも左記へお願いします。
筑摩書房サービスセンター
埼玉県さいたま市北区櫛引町二－六〇四　〒三三一－八五〇七
電話番号　〇四八－六五一－〇〇五三

ISBN978-4-480-42558-4 C0195